人文武术精品书系

勿使前辈之遗珍失于我手

勿使国术之精神止于我身

李存义

岳氏意拳五行精义

李存义武学辑注

李存义·著
阎伯群 李洪钟·校注

武学名家典籍丛书

岳氏意拳五行精义

李存义（1847年—1921年），字忠元，河北省深县南小营村人。少时家贫，以帮人赶车为生。及长，习长短拳技并周游各地。师从形意拳名家刘奇兰，并兼从董海川习八卦掌。后至保定开设万通镖局，兼收徒授艺。1900年，以53岁之龄，毅然投身义和团，手持单刀上阵，奋起抗击外敌，一时间『单刀李』之名不胫而走。晚年弃镖行，专志授徒。1911年在津创办中华武士会。于北方武术界威望甚高。

李存义的形意拳特点鲜明，兼有河北、山西形意拳的传承特征，融合了八卦掌、太极拳的一些技法风格，部分动作还保留了外家拳械套路的影子。李存义先生的武学著述，在我国形意拳发展史上占有极其重要的地位，它在奠定河北形意拳理论基础的同时，也促进了民国时期武术黄金时代的到来。

北京科学技术出版社

感谢阎伯群先生收藏并提供版本

出版人语

武术作为中华民族文化的重要载体，集合了传统文化中哲学、天文、地理、兵法、中医、经络、心理等学科精髓，它对人与自然和谐共生关系的独到阐释，它的技击方法和养生理念，在中华浩如烟海的文化典籍中独放异彩。

随着学术界对中华武学的日益重视，北京科学技术出版社应国内外研究者对武学典籍的迫切需求，于2015年决策组建了“人文·武术图书事业部”，而该部成立伊始的主要任务之一，就是编纂出版“武学名家典籍”系列丛书。

入选本套丛书的作者，基本界定为民国以降的武术技击家、武术理论家及武术活动家，而之所以会有这个界定，是因为民国时期的武术，在中国武术的发展史上占据着重要的位置。这个时期，中、西文化日渐交流与融合，传统武术从形式到内容，从理论到实践，都发生了巨大的变化，这种变化，深刻干预了近现代中国武术的走向。

这一时期，在各自领域“独成一家”的许多武术人，之所以被称为“名人”，是因为他们的武学思想及实践，对当时及现世武术的影响深远，甚至成为近一百年来武学研究者辨识方向的坐标。这些人的“名”，名在有武术的真才实学，名在对后世武术传承永不磨灭的贡献。他们的各种武学著作堪称为“名著”，是中华传统武学文化极其珍贵的经典史料，具有很高的文物价值、史料价值和学术价值。

目前，“武学名家典籍”丛书，已出版了著名杨式太极拳家杨澄甫先生的《太极拳使用法》《太极拳体用全书》，一代武学大家孙禄堂先生的《形意拳学》《八卦拳学》《太极拳学》《八卦剑学》《拳意述真》，武学教育家陈微明先生的《太极拳术》《太极剑》《太极答问》，著名形意拳家薛颠先生的《形意拳术讲义》《象形拳法真诠》《灵空禅师点穴秘诀》。本套《李存义武学辑注》收录并校注了一代形意宗师、中华武士会奠基人李存义先生传世的《岳氏意拳五行精义》《岳氏意拳十二形精义》《三十六剑谱》《五行连环拳谱合璧》《八字功》《五行剑》《连环剑》《梅花剑》《三才剑》《三合剑》等多本拳械功谱。李存义的形意拳特点鲜明，兼有河北、山西形意拳的传承特征，融合了八卦掌、太极拳的一些技法风格，部分动作还保留了外家拳械套路的影子。李存义先生的武学著述，在我国形意拳发展史上占有极其重要的地位，它在奠定河北形意拳理论基础的同时，也促进了民国时期武术黄金时代的到来。需要特别提示的是，《岳氏意拳十二形精义》原文中有一些注明需参照《岳氏意拳五行精义》的内容，为便于理解，建议读者配套购买。

这些名著及其作者，在当时那个年代已具有广泛的影响力，而时隔近百年之后，它们对于现阶段的拳学研究依然具有指导作用，依然被武术研究者、爱好者奉为宗师，奉为经典。对其多方位、多层面地系统研究，是我们今天深入认识传统武学价值，更好地继承、发展、弘扬民族文化的一项重要内容。

本丛书由国内外著名专家或原书作者的后人以规范的要求对原文进行点校、注释和导读，梳理过程中尊重大师原作，力求经得起广大读者的推敲和时间的考验，再现经典。

"武学名家典籍"丛书，将是一个展现名家、研究名家的平台，我们希望，随着本丛书的陆续出版，中国近现代武术的整体风貌，会逐渐展现在每一位读者的面前；我们更希望，每一位读者，把您心仪的武术家推荐给我们，把您知道的武学典籍介绍给我们，把您研读诠释这些武术家及其武学典籍的心得体会告诉我们。我们相信，"武学名家典籍"丛书这个平台，在广大武学爱好者、研究者和我们这些出版人的共同努力下，会越办越好。

序

天津本燕赵之区，豪侠气象素号恢闳。所惜地域促狭，兼之开发较晚，武术难谓发达。然津埠肇自军卫，又允为漕运码头，六百余年以来，尚武风习亦自不磨。迨至晚近，以海疆门户故，频遭列强凌夷，外侮内忧，交错相袭，津民得有切肤之痛。国事危殆，民力疲乏，所谓强国强种，迫在眉睫之间，武术一事乃大兴焉。

学人阐绎民国武术之盛，例称“南有精武门，北有武士会”，此说推源虽未必久远，然要亦契合实情。而精武门之霍元甲，武士会之李存义，两位民国武林巨擘，均与天津关系密切。霍氏生于津南小南河村（今属西青区精武镇），旧居暨墓园业已修葺如故，允为武林豪英瞻拜之圣地；李氏虽非津人，然所启之中华武士会则肇自津门，其后影响乃渐及江南塞北。

壬辰仲秋之月，余辑录《中华武士会百年纪念集》，撰有简短“编后记”，以为民间之武术研究，毋论宏观微观问题均繁，若拟不断提高层次，真正进入学术领域，还要走很长的路：“一是消除门派之争和畛域之见，武门人士和专家学者能坐在一起，真正心平气和地研究探讨问题；二是对既有武学典籍进行科学整理出版，对各门各派秘不外传的文献进行大力挖掘并公之于众；三是坚持实事求是，对本门本派历史不夸饰，不溢美，更不能无中生有混淆视听，同时对既有之混乱正本清源，辨伪存真；四是口述资料的采集，方法要规范和科学，不能羼入非学术的东西，否则难于真正进入研究的大雅之堂；五是提高研究者和爱好者的整体文化素质，同时不断拓宽学术视野；六是适时成立有关研究组织和基金会等，对相关学术研究进行推动和扶植。”所云大体涉及两个方面——武术发展和武学研究。这些都是随记所思，现在看来颇为杂沓。然而将近四年过去，种种乱象可谓依然。这些问题的存在，不仅限制了武学研究的深度和广度，也制约了武术发展的传承和创新。

两个月之前，伯群先生传来《李存义武学辑注》书稿，希望我写几句话冠诸篇首。我于武术并武学都是外行，远无置喙其间的资格；然而我与伯群先生，与李存义及中华武士会，与天津历史文化研究，有种种扯不清的因缘，使得我没有借口来拒绝。《李存义武学辑注》所录李存义武学著述，泰半完成于李氏寓津期间，由其弟子杜之堂、董秀升等襄助整理。《李存义武学辑注》文献来源清楚，真伪辨析明确，史料去取精审，整理方法得当。准此，本书之价值和意义，非但为津门武学添增光彩，或亦可视作改变某些乱象之契机，至少可说是一次示范性实践。

北京科学技术出版社面对汹涌商潮，不惟浮名，不计锱铢，慨然将《李存义武学辑注》纳入“武学名家典籍丛书”梓行，此类成果若能日累月积，无论对武术发展还是武学研究来说，都是一件非常幸运的事。

丙申端午后三日

杜鱼草于沽上四平轩

（杜鱼，原名王振良，天津市著名文史专家、今晚报社编辑）

导读

清末民初，中国武术处于历史发展的勃兴期，涌现了以传统哲学名词命名，并以哲理阐发拳理的拳术和拳派。清晚期，以太极学说立论的太极拳，以八卦学说立论的八卦掌，以五行学说立论的形意拳，不断演进，活跃在燕赵大地。作为内家拳重要拳种的河北形意拳，在长期的发展过程中，融会和吸取了地域人文环境和自然环境的营养，形成了独特的技术风格和深厚的文化内涵，成为“源流有序、拳理明晰、风格独特、自成体系”的优秀拳种。形意拳源自心意六合拳，始于明末，盛行于晚清，为明末清初山西蒲州人姬际可所创。姬际可擅长“心意把”，尤精枪法，据说他在终南山见鹰熊相搏，心有所悟，于是变枪为拳，编创新法，并尊民族英雄岳飞为始祖。姬际可门下，分成河南、山西、河北三大派系，分化成不同的名字传承，包括心意六合拳、心意拳、形意拳等。传承谱系上，姬氏传曹继武；曹又传山西戴龙邦、河南马学礼；戴龙邦再传河北深州李洛能。李洛能根据拳术的原理原则及特点，反复实践，对心意六合拳进行了大胆的改革创新，衍化出新拳种“形意拳”。李洛能传郭云深、刘奇兰、宋世荣、车毅斋等，在河北和山西两地传承。在河北，以郭云深、刘奇兰为代表，被称为河北派形意拳。清末民初，河北派形意拳发展最为迅猛。在形意拳的第三代，以李存义为代表的武术家开始把这种风格简约、融技击与健身为一体的内家拳法传播到京津等大城市，在北方地区普及，直至辐射全国，进入军队、学校，形成当时全国影响最大的拳种。

形意拳在近代历史上的巨大社会效应，与李存义等武术家站在时代激变的潮头，追求强国强种、武术救国的梦想密不可分，也与其个人叱咤武林的风范、高尚的武德修养息息相关。李存义之于形意拳，乃至形意八卦，堪称承上启下、奠定基业的一代宗师。

李存义小传两种

李存义诞生于清道光二十七年（1847 年），是形意拳肇始初期以乡邦传承为主的深县籍拳家，与前辈拳师一样，均因家贫无资入塾，而以习武谋生。因缺少文化，李存义自己留下的生平文字极少，且武术作为民间活动，很少见载于官方史料，再加上年深代远，仅有的一些文献和口传资料逐渐湮灭，尽管曾经是一位在武术史上产生过伟大影响的人物，其事迹也显得极为疏略。

现存李存义小传两种，均为其随身弟子撰写，可资采信。民国二年，李存义携弟子郝恩光、李彬堂、李子扬等执教于中华武士会本部，担任教务主任，开始编纂形意教科书。他与弟子黄柏年编录了

《五行拳谱》一部。此书为手抄本，现藏于天津市河北区档案馆，《武魂》杂志根据此版本整理后发表。其序文部分介绍了形意拳的源流、中华武士会的创会历史，涉及李存义的生平事迹，此为李存义小传之一种。

《五行拳谱》残本

《五行拳谱》序

（原谱现存第一页）□□□□拾年，时东洋□□□命刘□□□征东总师。其年腊月，在京城靖摩寺招考武士，得第一名总教习，随营教授将佐。抵金陵，公任为两江督□□总，止仕归籍后，友人邀在保□□□万通镖局，公为该局之局长□□□□□□□□□英雄之佳□□□□□□□□□之规模。

（原谱现存第二页）孙□□□□□□□□□□□公虽财政□□□□□□扬燕赵之士，咸知李公武技道德过人。至庚子变乱，郑州诸门人欢迎抵郑，挽留十余载，收徒甚广。宣统三年冬月归籍。民国元年天津组织中华武士会本部，举公为本部总教员。二年春二月，因南北意见有歧，政府委任王芝祥君为江西宣抚使，请公腹心从事，又命公为江西司令部总教员。续在金陵、上海等处□□□□提倡武风。抱定国民转□□□□□□至□□□□□□。

（原谱现存第三页）予幼爱习拳术，初本为强身练习，继乃成技艺门中人也。然虽若此，于技艺中，余终不知其究竟。复贸易云□所□□□□□□□丑春月，经王君维忠介绍于李存义夫子门下。公待遇笃诚，指教真功。余天性鲁钝，惟克（刻）苦功勤，后稍得堂室门径。民国元年，天津组织中华武士会，邀余为本部教员。虽技业浅薄，而授处之间，膜得我为成赞（此句难认，恐用字有讹错）。是李公一世之春暄（晖），难以我报。又蒙假以拳剑诸谱，其中语言深奥，唯恐初学者有弗明通之处。余等故解释数篇，为初学者辱览。

……

第四章形意拳历史。此功自达摩祖为始。初，祖静坐山林，观其龙、虎、诸鸡彼此相斗，各有所长。祖睹其形势，又以五拳为母，遂悟出十形，前文叙明，故不再录。至宋朝岳武穆王以得此异术，又增二形，鹰、熊是也，至今河南汤阴县岳家专门传授尚在焉。咸丰年间，山西载（戴）（原作“载”，自后改正之）龙邦先生，在河南得此传授。同治三年，直隶深州李君飞羽，平生最好武技，因贸易抵太原，经孟君介绍于戴先生。时李初见戴，即论平生所习，谈吐豪迈，稍一比拼，而知戴为异人也。自此北面而师之。经历十易寒暑，戴曰：“子勇成矣。”后李君返直，所收弟子甚广，余不能尽述，择其要者略而言之。第一、有深县城内刘奇兰君；二、郭云深君；三、山西车永宏、宋世荣。未能细述。于光绪甲午年，诸君树教京门。余师李公存义，立负笈从师，方得此术。至庚子，直省变乱，京师颓靡。时燕南之士，咸知李公武技、道德过人。鄚郡诸门人欢迎抵鄚，留十余载，至宣统三年冬月归籍。民国元年，诸君提倡尚武，其中有叶云表君、张恩绶君、张占魁君、刘殿琛君、张季高君、韩秀珊君将余等招至天津，同为提倡武风，先组织武士会。本郡广设传习所，为求普及全国之目的，唤起我国尚武之风。此形意所由始也。

李存义先生　黄柏年君同增修

民国二年冬月于天津公园内武士会师徒灯下修缮

（□代表原抄本无法辨认的损坏文字）

《近今北方健者传》

李存义的另一版本小传，由济南才子、中华武士会成员杨明漪撰写，收入《近今北方健者传》。本书于1923年出版，又称《拳勇见闻录》。杨明漪本人既是李存义的弟子，也是中华武士会创立和发展的见证者，《近今北方健者传》一书是研究中华武士会历史的珍贵资料。此为第二种。

李存义，字忠元。直隶深县南小营村人也，世称其业为首饰李，或称其艺为“单刀李”先生者也。先生修七尺有咫，赭颜钟声，精通武术，未尝读书，然于拳家谱牒，无不心识手摹。自言历习多门，年三十八，皈依形意门。师事刘奇兰，与八卦门之眼镜程、翠花刘为兄弟交。民国八年，年七十矣，望之如四十许人，内功醇而睟盎见，理固然欤。施教未尝有懈容，学者遇之，辄依依不忍离。聆其一二语，终身由之，无铢粟失，大河以北宗之。高弟某功行最深，声塞津京间，一日请益，先生用劈拳，未致力也，某仆丈余外，体无轻微伤，予适值之，不知其手法也。先生名满天下，顾与人恂恂如老妪，殆侠其骨佛其情者耶？著拳谱二百余卷，皆手自编录图解。民国元年创办天津中华武士会，今会中及弟子孙禄堂所出之拳谱，特其绪耳。予师事先生又与其子彬堂游，于八年秋（1919年），先生之归农也，曾合影作颂以送之曰：七旬老翁，发鹤颜童；精深武术，形意是攻；娓娓循循，宇内从风；阐明详瞻，著述富隆；黄河滚滚，岱岳崇雄；守先传后，斯道无穷。

明漪曰：忠元先生，于民国十年辛酉二月二十八日，病逝于家中，年七十二。予从之学，然文弱不任先生教，惟受呼吸法尔，并以之却病者今数年矣。闻先生之高弟云，先生之拳械，无不造极，所编十三枪法，尤为集大成之作。学者均未能窥其深，略有所获，即享大名矣。中华武士会谋所以寿之贞珉者，其事迹尚未征齐也。

创立中华武士会

早在清宣统二年（1910年），李存义就在天津三条石创办了民间武术团体“中华武术会”，开始了民间武术资源的整合，这个团体也成了中华武士会的前身。

辛亥革命以后，民国成立，锐意图强，孙中山倡导尚武精神，以强国强种，振兴国本，民间尚武之风蔚起，我国固有武术迅速复兴。燕赵之地自古就是孕育英豪侠客的文化息壤，在民族崛起之时，各界精英共同引领了武术变革的潮流。于是，由李存义、张占魁、李瑞东等一大批爱国武术家发起的中华武士会宣布成立。中华武士会在确立了形意、八卦、太极三大内家拳格局的同时，开拓了中国武术本土化的教育传播模式，把国粹武术普及到学校、军队，继之上升为“国术”，促进了中国武术的空前繁荣，在当代和后世影响巨大，其肇始之功首归李存义。

1912年6月5日、6日，天津《大公报》发布了“中华武士会公启”“中华武士会简章”及“中华武士会传习所简章”。其中“中华武士会公启”，从制度、思想、文化三方面剖析中国武术复兴的必要，在当时可称振聋发聩的呐喊：“我中国者，一尚武之国也。自我祖黄帝降昆仑，而东以武力逐蚩尤得中土，其雄武气概，盖可想见。以及战国时代，各国犹莫不崇尚武事，尽力发扬其尚武之精神。盖自古迄今，未闻有文弱之民而能立国者也。迨夫后世中原一统，各专制君主皆极思柔弱其民，使易于控驭，自是武道始不竞矣。极其弊而通国士夫，皆以习武事为轻狂，不但不以为可贵，而反蔑视之，遂使通国之人靡弱若病夫。夫以靡弱若病夫之人，而欲竞胜于此强权之时代，其有幸乎？吾中国近年以来，屡遭外人侮辱，而无如之何者，其原因虽不一，而国风之文弱，与士气之不振，则为其原因中之过且大者无疑也。彼东瀛萃尔三岛，人口土地不及我者，不止数倍，而能一战辱我，再战破俄，彼国士夫推原其故，辄归功于彼之武士道。由斯以察，武道之有关于国家兴废，不亦重大矣哉。况我中国之击技，其神妙实甲全球，若其变化莫测、刚柔并用、运气诸法，又为外人所梦想不到者。凡此，皆我先民好武者，久由经验而得之，岂有神权涉其间者。日本拾我唾余而能名动天下，甚至美之大总统求教师于彼邦，英之女校体操将尽改，用其柔术，拾我余唾而能盛称于天下，且收莫大实益，若彼者何也？此无他，以彼之视此有若第二之生命故也。我则藏精具粹，而世莫知焉，国家亦未能得其利者，何也？此无他，以我之视此直蔽屣之不若故也。他无论矣，就学界一方面观之，日本中学程度以上各学校，其校中莫不设柔道击剑，各部学生亦未有不习之者。年中试，合数次定优劣，以资鼓励。故学生时代除研究功课外，谈则论武，聚则斗力，周视全国莫不皆然。吾国则反，是文人直以运动为轻佻，而且视为下流。以此相较，彼兴我腐，岂偶然哉？同人观此情形，慨叹莫已。用特发起此会，欲以联络同好，广征武术名手，自兹以往，振起我数千载之国粹，使光显于世界。于是我国之武风可长，士气可振，国本可立，此岂可再忽之者哉？近世体育一科，各国莫不竞尚，其操练之术亦种类不一，然其适于运用，且益于体力者，则皆莫我中国之古击技，若此亦不必详论，就实际上比较之，自瞭然矣。观凡精于击技者，其体力、气力、魄力、胆力不胜常人数倍耶？吾人处世行事乏以上数种力者，鲜能成功。而欲备此数种力，则非近今各运动法所能济事。盖法门之不同，而收效自异也。今同人创设此会，募集击技名手，广设传习所，以求普及，期我国民自兹以往，变文弱之风而成坚强之习，以负我民国前途之重任。诸君有闻风兴起者乎？此同人大有厚望焉者也。”

“中华武士会简章”对武士会的办会宗旨、建制、人员等做了规定。名称，定名为中华武士会（亦称中国武士会，意在武术普及全国之目的）。宗旨，以发展中国固有武术，振起国民尚武精神为宗旨。会员，以年在15岁以上，籍为中华国民而品行端正者充之。会期，每年开春秋两季大会，是为常会。会所，暂假河北三条石直隶自治研究会总所。中华武士会附设传习所，学科分为两种，一速成科，一专修科。

中华武士会发起之时，也是河北形意拳术峥嵘初露之机，北方各派拳家都对新兴的形意拳术争议颇多，质疑形意拳的实际功用，于是李存义率弟子郝恩光与李子扬夜半拜见中华武士会支持者张继等人，陈形意之适用，为国粹，并令两位弟子演习拳术。演练中，地砖碎裂数方，令张继等人惊叹不已。次日开会，公布形意拳术为中华武士会首选，李存义为教务主任，刘文华为总教习，李彬堂、郝恩光等为教员，以传授形意、八卦、太极拳为主，另有八极拳、通背拳、戳脚等，各拳种均由优秀拳师任教。中华武士会由教务主任李存义为总负责人，代理会长之职。随着武士会的发展，除李存义、李星阶二人外，还先后有几位捐资人担任过会长或名誉会长，但均为挂名。

中华武士会创立后，到天津公园学习武术的人络绎不绝，常有学生、教员、商人排队前往学习武术。由于场地不足，中华武士会在河北甘露寺宣讲所设立分部，招致学员。作为师资，中华武士会聚拢了一大批中国北方武林的顶尖高手，如定兴三李、尚云祥、郝恩光、李彬堂、王子翙、程海亭、李进修、王俊臣、韩慕侠、黄柏年、张景星、李书文、霍殿阁等，都是中华武士会的早期教员、中国武术教育的先行者。

中华武士会还汇聚了一批剑胆琴心的文化精英，整理编写武术教材，如学者杜之堂、学务公所画师阎子阳，为李存义口述拳谱、剑谱进行编录和绘图，加以系统整理，对后世河北形意拳研究奠定了理论基础。黄柏年也与老师李存义灯下修谱，留下《五行拳谱》一部。

在社会各界爱国人士的支持下，中华武士会蓬勃发展，京津各校纷纷到武士会聘请教员。1913 年，李子扬受聘于天津北洋大学，李剑秋接替刘文华赴北京清华学校任武术教员。中华武士会的武术教学活动扩大到全国。李存义为调节南北政治分歧，赴江西司令部任总教员，后在金陵、上海等处提倡武风，在上海南洋公学（上海交大前身）教授拳术，数月后返津。同年，中华武士会在日本成立中华武士会东京分会，传授中国留学生。来自中国的形意拳术让日本武士道深感中国武术的深邃，羡慕且嫉妒。日本武士道召开赛武会，意将抑制中国人以自扬。郝恩光登台，展露形意绝技，日本武士无敢撄之。形意拳术被日本人视为武林绝学，在私下揣摩和研习，重金邀请郝恩光传授技艺，被郝拒绝。郝恩光归国时，受到留学生的热烈欢送。

1918 年夏，天津博物院召开成立展览大会，以中华武士会为主体，李存义在弟子李星阶的协助下，召集北方数省六十多个门派，三百多位武术家莅会表演，规模之大，影响之广，堪称空前。各派之间沟通了感情，交流了技艺，受到社会各界的嘉许，数百群众踊跃报名加入武士会，武士会利用天津城厢附近的四个宣讲所，除原有的甘露寺（北大关）宣讲所、天齐庙（东马路）宣讲所，还在西马路、地藏庵（河东粮店街东）两处宣讲所，设立武士会分部，与天津社会教育办事处共同推行社会教育，兼筹并顾，形成德智体三方面兴学的一部分。

1918年9月14日，北京召开万国赛武大会，俄国大力士康泰尔设擂比武，主办方函请北方武术家到京。李存义为维护国术和民族尊严，率门人数十前往赴会较技。会上，因格于警厅、步军统领之禁未得交手，改为演武，中华武士会有精彩表演。其后，康泰尔表演举重，力举200斤石墩，墩上带6人，环社稷坛走一圈。中华武士会王贵臣举其墩，能带12人环社稷坛走三圈，以此神功绝技慑服了俄国大力士，使其将11块金牌主动献给中华武士会。中华武士会参加赛武会的消息被北京、天津、上海的各大报纸连续跟踪报道，成为当时家喻户晓的社会新闻。会后，北京《顺天时报》、天津《大公报》和《益世报》先后以《中华武士会赛武大会之详志》为题，刊发详细报道。

万国赛武大会后，北方各省掀起习武热潮，前来中华武士会习武人员彻夜不断，令年事已高的李存义难以应付，隐居英租界弟子张天普家中，由继任会长李星阶打理会务。

李星阶在主持武士会期间，秉承李存义的办会理念，团结武林人士，联络各个门派，以武术教育为主旨，与阎子阳、王子翙、杨明漪、韩怡庵等一批武士会的骨干成员做了大量卓有成效的工作，使中华武士会成为我国北方武术教育活动的中心。

李存义对弟子们的成绩给予了极大的肯定，深感欣慰，遂于1919年秋归乡，颐养天年。

1919 年中华武士会教职员合影

左起：程海亭、韩慕侠、周祥、李呈章、李星阶

武学贡献

中华武士会所凝聚的武术家、教育家，以燕赵大地为地缘，深受古燕赵文化熏陶，在学术上，继承了明末清初哲学家孙夏峰以及后学者颜习斋的学说，主张文武并重、经世致用，注重身体力行，燕歌沉雄之气一脉相承，因此，在体育教育理念上，较早认识到，武术不独可以强健体魄，也可以增进德性，具有教育之价值，即体育，以养其体力，启其智慧，尊其德性。所以，中华武士会在李存义的教育理念的指导下，敢于率先打破沿袭了几千年的私相传授、匿于岩穴的传承方式，一改为著述教材，公开传播，开办传习所，在社会各界广泛招生；同时，迈出更重要的一步，进入课堂，开启了中国武术教育的先

例，赢得了示范效应。1915 年 4 月，全国教育联合会在津召开，通过了旧有武术列为学校必修课的议案，教育部明令“各学校应添中国旧有武技，此项教员于各师范学校养成之”。至此，源远流长的中国武术确立了在现代教育领域的地位。

据杨明漪《近今北方健者传》载，李存义“著拳谱二百余卷，皆手自编录图解”。本套《李存义武学辑注》收入了李存义先生手录或口述，并由弟子编撰而成的主要著作，这些著作曾作为中华武士会学员、中高等学校、军校的普通教材，广为使用。其内容是形意拳最具代表性的拳械套路、理论功法，是修功练武之门径。本书在编辑过程中，根据内容关联和篇幅分为三册：第一册《岳氏意拳五行精义》（附《五行连环拳谱合璧》），第二册《岳氏意拳十二形精义》（附《八字功》），第三册《三十六剑谱》（附《五行剑》《连环剑》《梅花剑》《三才剑》《三合剑》）。

笔者在校注李存义先生著作时，发现一个比较容易混淆的因素，就是本书影印并简体化的版本和校注过程中参校的版本较多，比如“保定本”“山西本”“杜本”等。根据校注中具体的使用情况，对各个版本说明如下：

《岳氏意拳五行精义》（上下册），李存义原述、董秀升编辑，1934 年由晋新书社刊行。本书将上下两册《岳氏意拳五行精义》《岳氏意拳十二形精义》分别影印并简体化。据传 1914 年李存义曾授董秀升岳氏意拳古拳谱，但原书未见。从 1934 年刊行的《岳氏意拳五行精义》来看，多系《武术研究社成绩录》所编。

《五行连环拳谱合璧》，李存义口述、杜之堂编录、阎子阳绘图，刊行于中华武士会早期。本书影印并简体化，简称“杜本”，由于篇幅较小，附于《岳氏意拳五行精义》之后，但读者万不可轻视之。《五行连环拳谱合璧》是中国近代流传最早的一部形意拳术教材，编写于民国初期，为此后出版的形意拳著作树立了典范。一方面，它建立了语言通俗而层次井然的理论体系。清末流传的形意拳抄本，其理论多晦涩难明，同一主题的论述，多分散于全书的不同章节，缺乏理论的层次性、逻辑性。对文化程度较低的习武者来说，如同天书一般，很难正确指导练拳实践。《五行连环拳谱合璧》一书，对古人的写作方法进行了彻底改革，实现了理论的系统性、层次性。该书首先阐述形意拳的理论基础——五行理论以及与五行相对应的五脏与五拳；继而介绍了人体基础知识——四梢理论及四梢在拳术中的相应练法和功用。更为难能可贵的是，它把零散存在于古拳谱中的有关形意拳的各部身形要求，做了精准的提炼，总结出了“八字诀”“九歌”这样的经典篇章，通俗易懂，合辙押韵，朗朗上口，便于记忆，成为后世传人练习形意拳的准绳，直至今日仍为形意拳著作所引用；另一方面，它开创了详细图解拳术的先河。此书问世之前的拳谱，多是只有文字理论，没有插图，即便有图也无详细的图解，使读者只能望书兴叹，无法学习。《五行连环拳谱合璧》的插图，能够精确地表现形意拳的技术要求，把动作之间的过渡状态也用虚线形象地描绘出来，还把拳术的行进路线准确画出，使学者一目了然。

《三十六剑谱》，李存义口述、杜之堂编录，刊行于中华武士会早期。本书影印并简体化。

《武术研究社成绩录》，保定陆军学校 1918 年编订，大量收录了李存义拳械图谱，由王俊臣、李剑秋校订，张桐轩编辑。本书将其中的八字功、五行剑、连环剑、梅花剑、三才剑、三合剑等章节影印并简体化，其他部分作为参校，简称“保定本”。1915 年，教育部在全国明令开设武术课程后，形意拳走进校园。直隶各省武术教员多由中华武士会会员担任，这些拳谱也随之变成各学校的武术教材范本，直接用于武术教学。1916 年，保定陆军学校开设武术课，成立武术研究社，并于 1918 年出版《武术研究社成绩录》，为保定陆军学校“同人将年来所习拳术课目而订之为成绩录”。此书中大部内容采用了李存义口述之拳械图谱。

《八字功拳谱》，民国初年李存义口述、杜之堂编录。本书作参校使用。

《形意拳古谱》《拳术讲义》，1919 年，张桐轩于山西国民师范学校任教，印行此二拳谱，简称“山西本”。本书作参校使用。

《李存义剑谱》裴锡荣藏本，简称“裴本”。本书作参校使用。

《五行拳谱》，李存义与弟子黄柏年编录。本书作参校使用。

李存义先生“历习多门，年三十八皈依形意门”，在他所编拳械套路中，有如下特点：第一，部分动作仍然保留外家拳械的特点。例如，有些动作要求：“前腿进、绌，后腿跟、支”的弓箭步及剑术中常见有臂伸直的动作，明显存有外家拳的影子，不过在步法上采用形意拳的跟步，这样发力更加充沛，姿势舒展美观大方。当然，山西、河南的心意六合拳也常见重心在前腿的动作，说明早期河北形意拳也沿袭了心意六合拳的特点。第二，融合八卦掌、太极拳的特点。李存义先生武艺精深，轻财重义，广结豪俊，与八卦门程廷华、刘凤春，太极门李瑞东以及刘德宽等为兄弟交，故李存义所传形意拳械套路把八卦掌、太极拳的技法和风格有机地融入进来。李氏所编“龙形掌”“龙形剑”就是典型的形意、八卦合一的套路；五行拳中钻拳回身势也是采用了八卦掌中转环掌动作，在“八字功”套路中更是多处吸收了八卦掌的肘下穿掌和转环掌，在步法上也采用了八卦掌的扣步，演练风格则采用了太极拳的轻缓柔和发劲含蓄的特点，故又称作“软八手”；李氏所编“六合剑”中也吸收了八卦剑的步法和动作。第三，融合河北、山西形意拳的特点。据姜容樵《形意母拳》记载：“北方自李洛能传授形意时，仅五行、连环，十二形半数而已。至郭云深先生仍之，后由李存义先生及同门某公，赴山西太谷，寻访同门前辈精斯术者，乃尽其所学而载之归。”

总之，李存义先生的武学著述，在我国形意拳发展史上占有极其重要的地位。它在奠定河北形意拳理论基础的同时，也促进了民国时期中华武术黄金时代的到来。本套《李存义武学辑注》是国内首次系统出版的李存义武学著作，囿于笔者的学识，在校注中不免谬误之处，恳望广大读者和同仁批评指正。

岳氏意拳五行精義

強種之聲

邱仰濬題

秀升先生属

與論正精

趙守鈺題

秀生仁兄囑題

富强基礎

愚弟馬甲鼎

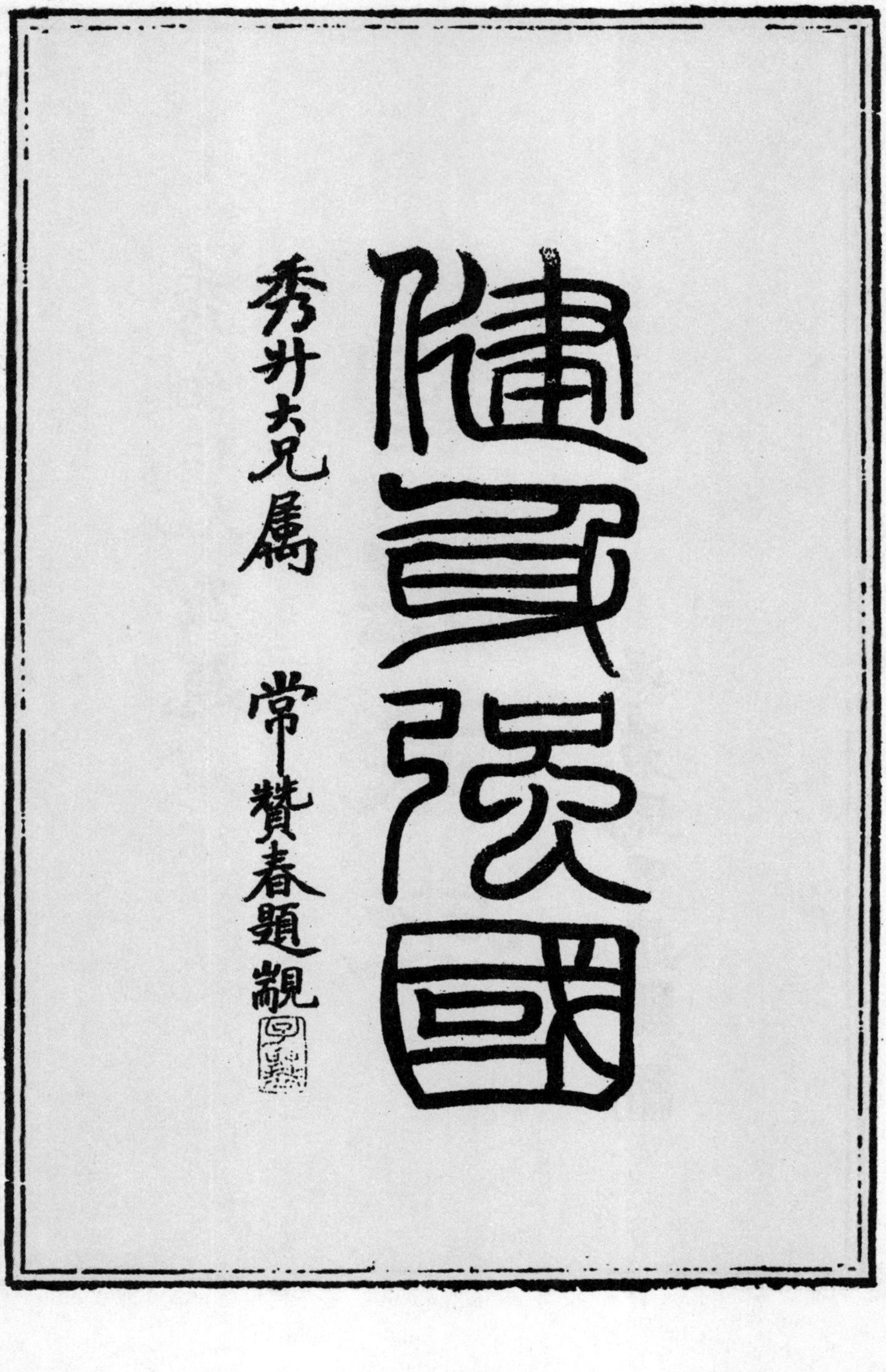

健身強國
秀升大兄屬
常贊春題觀

國之本在家家之本
在身鍊力之所以興
家之所以衛國之所
以爭存民族之大本

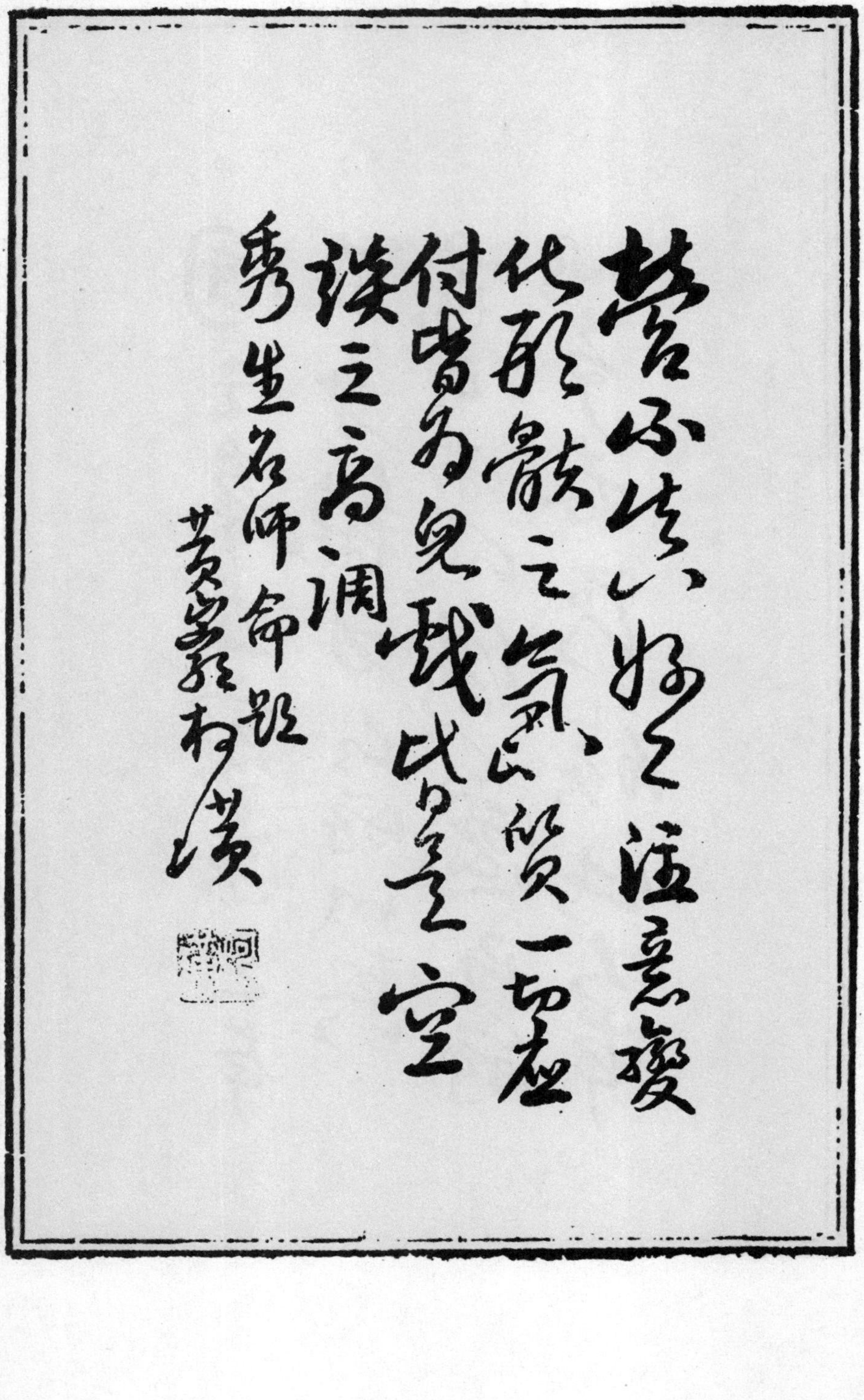
昔不傳之好法意變
化形骸之氣質一切應
付皆為兒戲代是空
談之高調
秀生名師命題

實踐國魂

秀升大兄屬 梁成哲題

強國之基

賈蘊高題

吾華國粹通武通文文動天地武鑄
乾坤拳術之祖淵源是自遞鄉代
嬗猗標心意卓亂董君手挹精華
強國強種我武惟揚凡吾同胞念
茲在茲手此一編譜肯之師

甲戌夏五月之吉　箕谷武吟心志於[illegible]

秀升先生囑

闡揚國術

弟呂生才敬題

自序

秀升於民七、奉山西警務處長委任為山西官醫院中醫士每於診病之暇、嘗喜研習各國各派武術、如岳氏六合意拳、少林五行、八卦太極、公立拳、羅漢拳、及宋氏之內功納卦、神運、池龍拳等經、雖皆有各門受業之專師、大致僅得其皮毛、猶恨其習焉而未精也、何者既服務醫事、日與病人相周旋、營營於寒熱表裡斤斤於補瀉濕涼、極勞極苦極沉悶、目所見多憔悴之色、耳所聞惟呻吟之聲、使不研習武術、以舒吾襟懷、則我身久已釀成鬱症、故余之研習武術、則等於自服為葯陳皮也、蓋聞德育智育體育三者為立身之要術、亦治國平天下之大經、凡古往今來之大英雄大豪傑、莫不根基乎此、諺云、欲為健全之事業、必具健全之身體、所以欲充其德智而成大英雄大豪傑、以平治天下國家者必先由鍛鍊身心始、况吾國體育一道、發明最早、自伏羲画卦、内運先天之氣、以存心意、外法鳥獸之跡、以為形勢、内外交修之旨、於斯着焉、慨自歐西火器流於中國、而武術之粹、幾廢不講、雖文明國民各有其獨精之技、又為世罕覩、類如日本尚能傳其柔術、以炫於世、我中國之大、乃於先民所遺武術、罔知研索、豈非有心人大惜者乎、現我國民政府鑒於人民之日弱、遂竭力提倡國術、以資圖強、然教者雖多、精者殊尠、或其間有一二傑出者、得其竅要、然非心性褊狹、即粗鄙不文、其教人也、語焉而不詳、傳焉而不精、使學者迷離恍惚、如墜雲霧、而欲登堂入室、亦已難矣、今春、山西民衆教育館來聘、擔任國術教員、夏六月又應山西國術促進會之聘為國術教師、自忖醫術資生、於此道敢云精進、幸淵源有自、未入歧途、公餘時、遂將民三任天津武社會時、有該會總教務、直隸深縣李存義老師伯、授有岳氏意拳精義一書細為修正、編分上下兩冊、付諸石印、以廣李師之傳、惟此書乃李師一生精力所述、深得箇中精奧、非世之誇大虛譽者、同日而語也、如書中所述三体勢八字訣、九歌等、及岳武穆九要論十六要訣、並曹繼武先生十法摘要、養氣學論、練法規則等、皆意拳真正神髓、學者神而明之、會而通之、既足以却病延壽、又可健身強國、非止免除衰弱之痛苦、且能自衛而衛人、蓋練武者則身健、身健則魄力雄、意志強、魄力雄、意志強、則天下凡百事業、不難為也、

民國二十三歲次甲戌夏正、太谷董秀升序於并垣之養性軒、

岳氏意拳五行精義

目錄

第一章　岳武穆九要論

第二章　練習

上編

意拳總論

意拳者。拳之内家者也。用合天地。化生萬物之形。體本五行。循環生克之意。蓋天地之初。混混沌沌。茫然大氣。既無歸宿之可指。復無界限之可言。逮歲月嬗遞。畧就範圍。漸成一氣。繼則輕清上浮。重濁下降。陰陽剖判。陰陽再合。遂成三體。於是五行循環。化生萬物。此天地進化之大概也。夫人身配天而生者也。其於養生之術。運動之道。須準天地進化之自然。而潛心順修。復按五行生克之意。而動靜不乖。尤復旁參萬物之變。而交推互證。庶幾攬陰陽。奪造化。生生不息。幻變無窮。此意拳之妙用。抑亦養生不可須臾離者也。若形意之拳。靜原渾虛。動充四體。翩若驚鴻。婉若游龍。斂而不局。放而不肆。約而不迫。張而不疏。神恬而不涉於寂。體靜而不沈於枯。還精於週身。清神以積中。祛欲啟蔽。長年益壽。神完而氣定捍。邪侵而避物撤。是超藝而進於道者也。至應變無方。接物無形。不虛不妄。不傲不葸。鬱勃如風雲。聲呼如雷霆。出入如鬼電。重如山隤。輕如風掃。攻堅殺敵。毫不經意者。尤其末焉者耳。

第一章 不動姿勢

凡事有動必有靜。動者靜之效。靜者動之儲也。含動言靜。其失也枯。離靜言動。其失也梏。然靜為動之源。而運動者。尤必先致力於靜。如是則氣內充。而力外裕矣。意拳者以氣行而不動姿勢。實為入門初步。建本清源之道。學者應三致意焉。

第一節 無極勢

兩足跟併齊。兩足尖分度約九十。兩臂切身下垂。此時當無思

無欲、無形無像、無物無我、一氣渾淪、無所向意、順天地之自然、茫若扁舟泛巨海、靜若木雞植中庭、是之謂無極、

○第二節　虛無含一勢

由無極勢半面向左、左足在前、靠右足脛骨、兩足尖分約四十

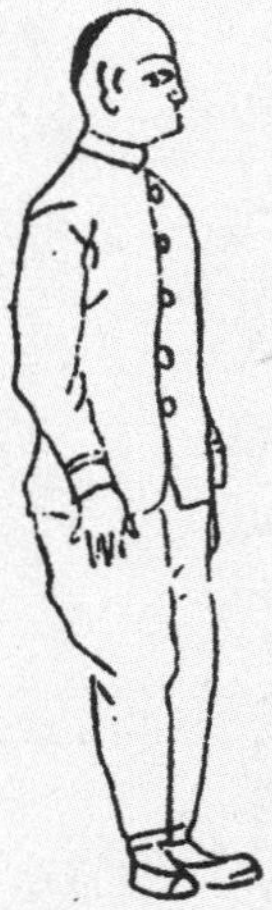

五度、兩臂緊垂、腕曲掌摺、舌頂上腭、肛門上提、將渾淪之氣畧加收聚、是謂虛無含一氣、亦即吾人先天真一之氣、而為形意拳之內勁、

○第三節　太極勢

由前勢左足跟靠右足脛骨、足尖分四十五度、兩足跟向外扭

勁、足尖抓地、兩腿徐直下灣、約百二十度、兩胯平均扣勁、腰挺直、兩肩扣垂、兩肘緊抱兩脇、兩手抱心、左手在下、右手在上、左手食指前伸平直、右手中指亦前伸平直、兩指疊合頸直豎、頭上頂、身不可前俯後仰、不可左右歪斜、眼突、舌捲、氣降、心中平定、不可努氣、心與意合、意與氣合、氣與力合、心意誠於中、而肢體勁於外、一氣流行、是謂太極、

○第四節　兩儀勢

由太極勢左足前進二尺許、足尖直前、右足不動、足尖向右約三十度、左足踵直、右足脛骨成大人字形、同時左手前伸、右手退後、左手伸至極端、高與口齊、右手虎口內向、與臍接、而小指

外翻、腕曲掌搨、手足齊落、左臂似曲非曲、似直非直、微向上內彎、由腕至肘水平、右臂彎曲如新月、肘意內抱、手指均須離開、稍圓曲、如爪如鈎、切忌局彎著力、左手大指橫平、食指前伸、餘指及腕掌、如右手、兩目注視虎口玦形、兩肩兩胯皆均力垂扣、兩肘力垂、兩膝挺扣、兩足跟力向外扭、是謂肩與胯合、肘與膝合、手與足合、此時上身正直、不可俯仰、心氣平靜、不可助長、身則看陽而有陰、看陰而有陽、氣則呼出為陽、吸入為陰、清氣上升為陽、濁氣下降為陰、誠於內者為陰、形於外者為陽、呼吸上下內外三者、以象陰陽、故謂之兩儀、

○第五節　三體勢

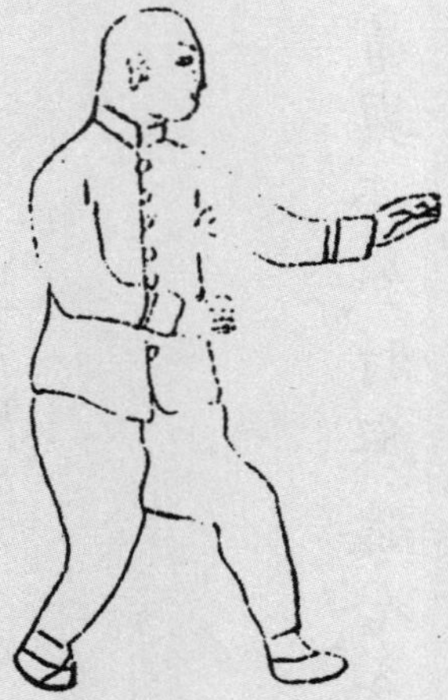

由兩儀呼吸相應。上下相貫。內外如一。謂之陰陽相合。陰陽相合。而三體生焉。三體者、天地人三才之象也。在人為頭手足。頭以象天。手以象人。足以象地。取其聰明睿智。才力氣魄廣大精奇。足以相配也。夫天地間形形色色。大哲學家未能盡知。事事物物。大博物家未能悉辨。然以歸納法括之。均不外天地之化生。人工之製造也。換言之。意拳之精微奧妙。大拳師未必盡其能。生克變化。大方家未能盡其用。然以歸納法括之。均不外頭、手、足、之伸縮運動也。故欲知天地間之

物。蓋意拳之妙。先致力於三體。庶幾得其要矣。三體為意拳之基礎。如樑棟之立正。凡百運動皆基於此。故分條詳論於左。

○第一條　三節

全身分為三節。頭為上節。身為中節。股為下節。各節復分三節。以頭言之。天庭為上節。鼻為中節。海底為下節。以身言之。胸為上節。腹為中節。丹田為下節。以股言之。足為梢節。膝為中節。胯為根節。以肱言之。手為梢節。肘為中節。肩為根節。以手言之。指為梢節。掌為中節。掌根為根節。三節既明。而內勁發動之脈絡。即可知矣。蓋指之力源於掌。掌之力源於掌根。故掌根摧掌。掌摧指。而勁乃出。手之力源於肘。肘之力源於肩。故肩摧肘。肘摧手。而勁乃行。足之力源於膝。膝之力源於胯。故胯摧膝。膝摧足。而勁乃通。然肩胯之勁源於身。身之勁源於丹田。為內勁之總源也。

○第二條　四梢

與肉、筋、骨、之末端曰梢。髮為血梢。舌為肉梢。指為筋梢。牙為骨梢。四梢用力。則常態猝變。令人生畏。

一血梢　怒氣填胸。豎髮衝冠。血輪速轉。敵膽自寒。毛髮雖微。摧敵何難。

二肉梢　舌捲氣降。雖山亦撼。肉堅比鐵。心神勇敢。一舌之威。落魄喪膽。

三筋梢　虎威鷹猛。以指為鋒。手攫足蹋。氣力兼雄。指之所到。皆可奏功。

四骨梢　有勇在骨。切齒則發。敵肉可食。眥裂目突。惟牙之功。令人恍惚。

○第三條　八字訣

四梢之外又有八字。三體一站。八字具備。皆所以蓄力養氣。使敵我者失所措也。八字之名稱。一曰頂。二曰扣。三曰圓。四曰毒。五曰抱。六曰垂。七曰曲。八曰挺。而八字又各有三事。共二十四事也。分述於左。

一、三頂　頭上頂、有衝天之雄。手外頂、有推山之功。舌上頂、有吼獅吞象之容。是謂三頂

二、三扣　肩扣、則氣力到肘。掌扣、則氣力到手。手足指扣、則周身力厚。是謂三扣

三、三圓　脊背圓、則力摧身前。胸圓、則兩肱力全。虎口圓、則勇猛外宣。是謂三圓

四、三毒　心毒、如怒狸攫鼠。眼毒、如覷兔之饑鷹。手毒、如捕羊

之餓虎。是謂三毒

五、三抱　丹田抱氣、氣不外散。膽量抱身臨敵不變。兩肘抱脇出入不亂。是謂三抱

六、三垂　氣垂、則氣降丹田。肩垂、則力摧肘前。肘垂、則兩腕撑圓。是謂三垂

七、三曲　兩肱宜曲、曲則力富。兩股宜曲、曲則力湊。兩腕宜曲曲則力厚。是謂三曲

八、三挺　挺頸、則精氣貫頂。挺腰、則力達全身。挺膝、則腿堅馬穩。是謂三挺

○第四條　九歌

九歌者。乃三體之九事。分條研究。以資熟練也。其九事即身、肩、肱、手、指、股、足、舌、肛門、是也。分列於左。

一身　前俯後仰。其勢不勁。左側右欹。皆身之病。正而似斜。斜而似正。

二肩　頭欲上頂。肩須下垂。左肩成拗。右肩自隨。身力到手。肩之所為。

三肱　左肱前伸。右肱在肋。似曲不曲。似直不直。曲則不遠。直則少力。

四手　右手在脅。左手齊心。後者勁搊。前者力伸。兩手皆覆。用力宜均。

五指　五指各分。其形似鈎。虎口圓開。似剛似柔。力須到指。不可強求。

六股　左股在前。右股後撐。似直不直。似弓不弓。雖有支絀。每見雞形。

七足　左足直出。欹側皆病。右足勢斜。前踵對脛。二尺距離。足指扣定。

八舌　舌為肉梢。捲則氣降。目張髮豎。丹田愈壯。肌肉如鐵。內堅腑臟。

九肛　提起肛門。氣貫四梢。兩骽繚繞。臂部內交。低則勢散。故宜稍高。此一節自三体勢至此、為意拳之格式、格式者入門一定之規也、無論五行十二形皆以此為主、

○第二章　意拳養氣學

氣者。勇之實也。養氣即所以養勇。黝舍之流。不膚撓。不目逃。視不勝猶勝。刺王侯若刺褐夫。視三軍如無物。蓋習養有素。氣充乎四體。而溢乎其外。見乎其勇。而不自知也。然此特氣之粗者。抑猶有其精者存焉。至大至剛。配義道而無餒。塞天地。溢四海。故孟軻養之以成賢。文天祥守之以遂忠。蓋磅礴凜烈。是氣常

存咒以助精魄。強神明。不隨生死而變滅。此所謂大勇者。甯可與黝舍同論哉。夫粗者、魄氣也。精者魂氣也。魄氣生於體。魂氣生於天。魂氣清明而富於仁。魄氣強橫而偏於貪。神人不以體魄用事。故養魂而棄魄。愚夫祇知有身。故養魄而去魂。聖賢重魂輕魄。故以魂制魄。勇士重魄輕魂。故以魄制魂。此養氣之大別也。形意之養魂氣乎。魄氣乎。抑魂制魄。或魄制魂乎。曰、此皆非形意養氣之道也。形意以身體為運動。固不能舍魄以養魂。然其養生之術。須準天地進化之序。生克變化之方。必按五行循環之意。化生萬物之形。苟舍魂以養魄。復不能盡形意之能事也。然則何為而後可。曰、魂氣靈明。形意之生克變化。賴以神其用者也。魄氣渾厚。形意之實內充外。賴以壯其動者也。輕魂則變化不靈。輕魄則實力不厚。必魂魄並重。乃盡形意養氣之要功也。

○第一節　意拳養氣之必要

或曰身體之伸縮也。四肢之變化也。端賴乎筋肉骨血。而五臟之主動於内者。似與氣無涉。曰是不然。人得五臟以成形。復由五臟而生氣五臟之於人。猶輪船之汽房火車之鍋鑪運動變化。固賴乎此。然無蒸氣以促動之。則機關雖靈。終無以善其用氣之於人猶是也。故五臟之動。賴乎氣。氣之強弱虛實。可使人壯老勇怯。況形意為内家運動之一。而變化靈捷。實力充厚。非魂魄並養。不為功使。非培而裕之。擴而充之。又何足供吾人無量之用哉。

○第二節　意拳養氣之功用

氣始生於一。終分為二。即魂魄也。陰陽也。魂氣屬陽。靈明輕清。

可虛實剛柔。循環變化。神乎神乎。至於無形。微乎微乎。至於無聲。此陽氣之妙用也。魄氣屬陰。渾厚重濁。可堅強猛烈。不撓不逃。雄魄毅兮。可摧壁氣剛大之而拔山。此陰氣之妙用也。武術專家。技臻絕頂者。其攻人也。無跡可尋。雖稠人廣象。十目共覩。莫能見其手之所至。足之所履。身之所止。謂為玄無。乃魂氣充有以致之也。其被攻也。手觸其身。如金城。足衡其股。如鐵柱。當之者。頹狼狽却退。乃魄氣厚有以成之也。昔武穆用兵。先謀後動。其動也。靈妙變化。飄忽猛烈。莫可推測。其靜也。嚴整莊重。如山岳堅實。莫可撼移。兵家謂不動如山岳。難知如陰陽。非魂魄二氣修養有素。何克臻此。故武術之精者。必精於氣。精於氣者。必精於兵。養氣之道。何可忽乎哉。

○第三節　意拳養氣之法則

形意之講養氣者多矣。或胸中努力。或腹內運氣。是皆不明本根。而特齊其末。如告子之不動心者。雖直捷而易為。終無補於實際。夫根本者。何也。曰積理集義。明三節。講四梢。練八字。熟九歌。是也。蓋氣分魂魄。(陰陽)魂氣生於天。根於義理。魄氣生於五臟。根於四事。如水之有源。木之有本。清源而水流。培本而木茂。自然之理也。若夫孟賁穿窬。童子不支。夏育為盜。懦夫不抗。是乃背理喪義。魂氣全失。而猛怯資殊也。江湖無賴。弄姿擺勢。然每被擊於粗漢。世俗拳師。旋舞跳躍。然每被撲於傖父。倘四事修明。魄氣堅實。何至於此。故形意之善養氣者。非理無動。非義無往。自反而合理。雖萬人無惴。自反而非義。雖褐夫亦懼。動必以理。趨必以義。而魂氣自盛矣。舉措動靜。必合四事。三節不合弗措也。四梢不明弗措也。八字九歌未熟練弗措也。人一己百。

人十己千。如是而謂魄氣不強者。未之有也。然必有事焉。勿助勿忘。過用心則助。助則暴而氣亂矣。不用心則忘。忘則蕩而氣散矣。果明此義。則內家要術畢盡乎斯。又豈獨形意哉。

中編

意拳原理

拳以意名者。以意為諸拳之母。凡百運動。皆淵源於此也。夫心者人之宰也。耳目口鼻四肢皆聽其指揮。心之發動曰意。意之所向為拳。而五行循環。生克變化出焉。天地進化。以五行為始。以化生萬物為終。而人之運動。亦以意為始。以形為終。故意拳不明。而形拳亦無由而成。意拳包五行連環二部。學者須三致意焉。（形拳即十二形法另編第二冊）

○第一章　五行拳

五行者。金木水火土也。內有五臟。外有五官。皆與五行相配。心屬火。脾屬土。肝屬木。肺屬金。腎屬水。此五行之隱於內者。目通肝。鼻通肺。舌通心。耳通腎。人中通脾。此五行之著於外者。五行有相生之道焉。金生水。水生木。木生火。火生土。土生金。又有相克之義焉。金克木。木克土。土克水。水克火。火克金。五行見於洪範。而漢儒借之以解經。後人每譏其於義無取。而生克之理。究不為不當也。拳之以是取名。用以堅實其內。整飭其外。取相生之道。以為平時之習練。取相克之義。以為對手之破解云耳。非必沾沾於古說也。夫拳以五行名者。以崩拳之形似箭性屬木。礮拳之形似礮、性屬火。橫拳之形似彈性屬土。劈拳之形似斧性屬金。鑽拳之形似電性屬水。故也。由相生之說論之。故橫拳能生劈拳。劈拳能生鑽拳。鑽拳能生崩拳。崩拳能生礮拳礮拳能生橫拳也。萬物生於土。故橫拳能生各拳。由相克之說論之。故劈拳能克崩拳。崩拳能克橫拳。橫拳能克鑽拳。鑽拳能克礮拳。礮拳能克劈拳也。

○第一節　劈拳

劈拳屬金、其形似斧有劈物之意、五行之中、以土為主、蓋土生萬物、內包四德、準其循環之理、而土生金、此劈拳所以為五拳之首也、然金於五臟相肺、拳之順逆、肺氣之通塞、與有關焉、

一、路綫　形意與諸拳不同者、前脚先進、後脚必緊隨也、拳之用也、宜速進前脚、則便捷靈敏、必能取勝、拳之進也、宜猛跟後脚、則氣催身往、必不可當、劈拳之路綫、每三步為一組、前脚進為一、後脚進為二、既進之脚復進為三、如左圖、

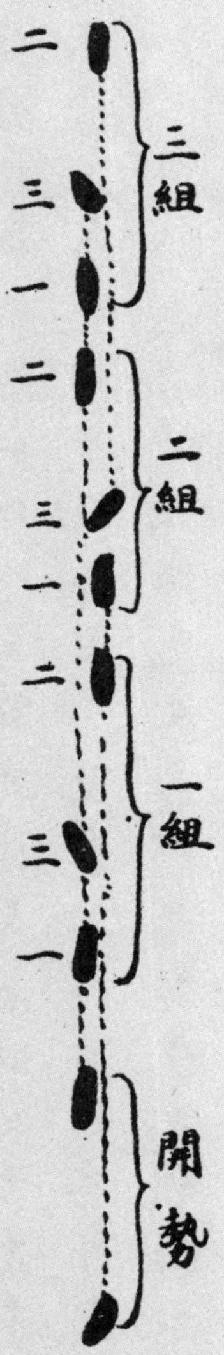

二 開勢

開勢即三體勢、其要領、同第一編、第五節、

開勢圖

三、起勢

兩拳緊握後收、兩復前伸、後收時變陽、兩肘抱肋、兩拳間隔少許、前伸時、拳從口出、小指上翻、垂肘垂肩同時前足順進、後拳隨出、緊貼前肘、兩眼須注視前拳、

起勢圖

四、落勢　後拳由肘前出、同時後足前進一大步、足手齊落、足落地如踏毒蛇、不肯稍緩、五指抓地、足心騰起、後足斜跟踏地時、力同、兩手前推後挽、力務均、前手高齊心、後手在臍、而鼻、手、脚、三者成一線、後肘緊靠肋部、如是則團結力大、屹如山岳矣、習練時、起落務要一氣貫足、若波浪然、一波甫平、一波又起、然身體不可忽高忽低、否則氣浮而力散矣、

落勢圖

五、四身勢

右手在前、則左轉身、左手在前、則右轉身轉時以兩足根為軸、足尖微離地、兩拳仰抱在臍轉畢、急起急落、仍前足進為一、後足進為二、既進之脚復進為三、如左圖、

「注意」劈拳由起而落、由落而起、為一圜形、此圜之周圍用力宜均、使處處留到、不可有一毫之疏懈、手足齊落、肩胯相隨、肘膝相合、是為至要、

○第二節　崩拳

崩拳屬木、其形似箭、有射物之意、木於五臟相肝、故此拳順則

肝氣舒、謬則肝氣鬱、學者倘於此而加以精研、最足以助精魄、強筋骨、且簡捷而應用、前人恆以專此一拳而名家也、

一、路綫　崩拳極簡單、無起落勢、而回身較他拳為繁、故以出擊回身分段論之、其練法左腿永遠在前、右腿跟進、故亦名左骽崩拳、如左圖、

二、開勢（即三體勢） 由開勢兩掌變拳、前者順而後者陽、先進左足、右足隨進、同時右拳伸出、左拳抽回、至兩拳相交、右拳變順、左拳變陽、故出拳如錯、打敵而且破敵、此形意拳之妙訣也、收拳與出拳平均用力、出入必由洞口、緊貼兩肋、如撕物然、兩手互易、步法不可紊亂、

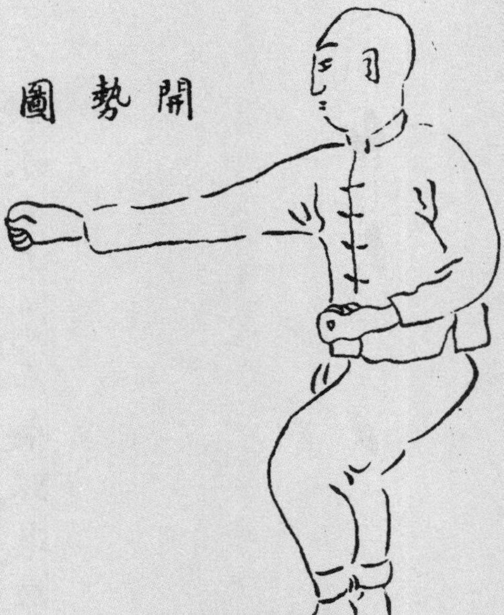

開勢圖

三、回身勢 左足右横、同時將拳收回、從右向後轉、右足横提、

右拳鑽出、脚手齊落、成剪子股形、(亦名狸猫倒上樹)

兩拳變掌、由陽而陰、後掌在脇、前掌齊心、如左圖、

回身勢圖

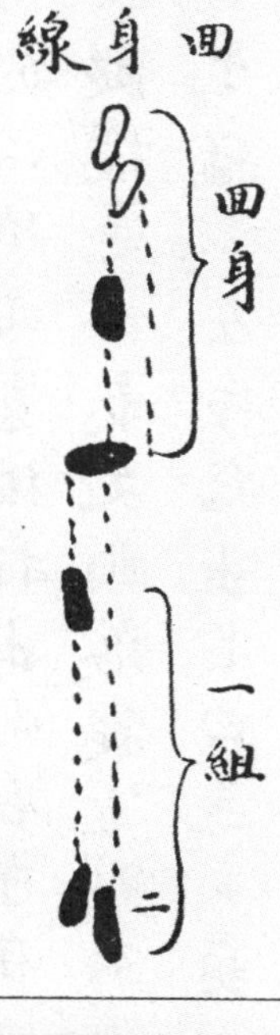

四、收勢　他拳徑收、惟崩拳則於二次回身後打出、則右手在前、右腿後退一步足横、落左腿復退一步足順落、腿退時兩手保持原勢、至左足落時、右手猛撤、左手猛出、名曰退步崩拳、路綫如左圖、

○第三節　鑽拳

鑽拳屬水、其形似電、有曲曲流行之意、水於五臟相腎、拳順則腎氣足、否則腎氣虛、倘於此研究有得、足使陽氣上升、陰氣下降、化拙為巧、變滯為靈、而直勁出矣、

一、路綫　亦以三步為一組、與劈拳同、

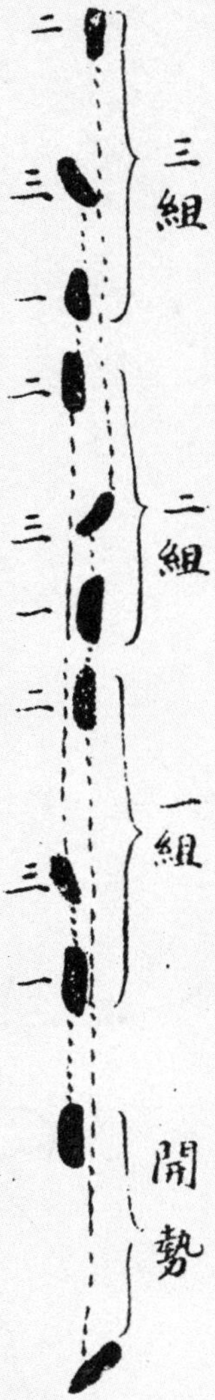

二、起勢及落勢　由開勢左掌翻陽、右掌握拳為陰、左腿前進、同時右拳仰抱胸前、眼注左手、速接落勢、右腿進一大步、脚落拳鑽、左掌覆拳、左脚斜跟、右脚仍順、前拳齊鼻、後拳置臍、脚尖拳鼻成一直綫、鑽出之拳、時向裏裹、小指上翻、不可牽動身體、以致歪斜力散、繼續前進、其法同前、

起勢圖
落勢圖

三、四身勢　右手在前、則左轉身左手在前、則右轉身後手自脇邊反鑽、以扣敵腕、急起急落、步法與劈拳同、

○第四節　礮拳

礮拳屬火、其形似礮、水平威力甚大、有加農之性焉、火在五臟而捆心、故拳順則心中靈明、拳乖則心中朦昧、甚矣此拳之不可忽也、

一、路綫　劈鑽以三步為一組、崩拳以一步為一組、礮拳則以

四步為一組、勢皆斜出、如左圖、

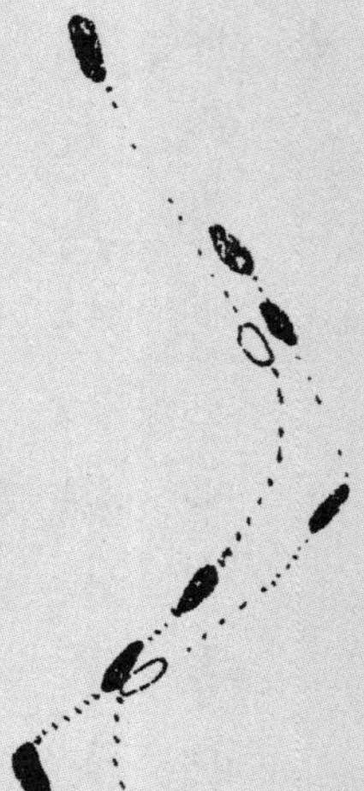

二、起勢　左脚先進、右脚隨之、右落左提、眼觀一隅、掌變陽拳、右腸左臍、有如丁字、莫亢莫卑、兩肘夾肋、舌卷氣垂、

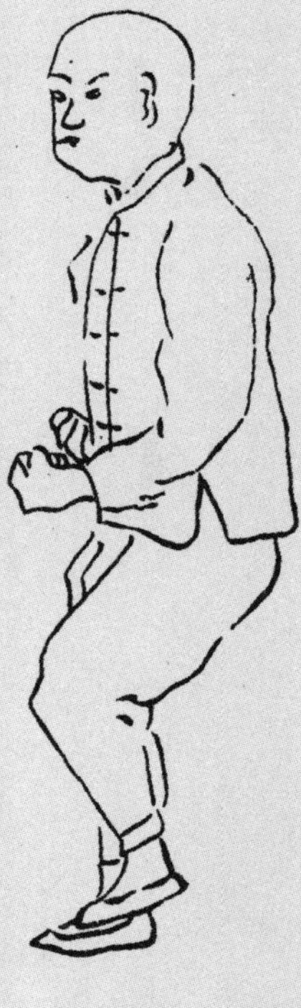

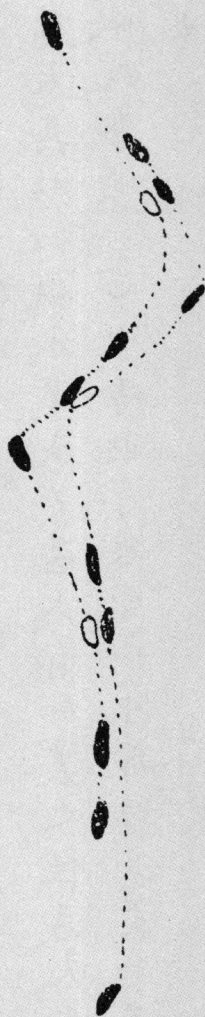

三、落勢　右拳順出、如石之投、左拳裹翻、置之眉頭、足提者進、與右拳併、左右互換、無用他求、試詳路綫、如龍如蚪、

四、回身勢　左手出、則左轉身、右手出、則右轉身、轉時後脚為軸、前脚回至後脚處落地、而後脚提起、仍進步斜行、如路綫南

北在轉身前打東南者、轉身後則打東北、四隅皆依此類推、左為一隅路綫圖、

○第五節　横拳

横拳屬土、其形似彈土在五臟相脾、其拳順則脾胃和、拳乖則脾胃弱而五臟亦必失和矣、蓋土為五行之本、脾為五臟之本、根本不固、枝葉必枯、自然之理也、故横拳者、五行拳之主也、學者宜注意焉、

一、路綫　橫拳亦用斜勢，其步數類劈鑽，而非直綫，其灣曲似礮拳，而步數減，如左圖。

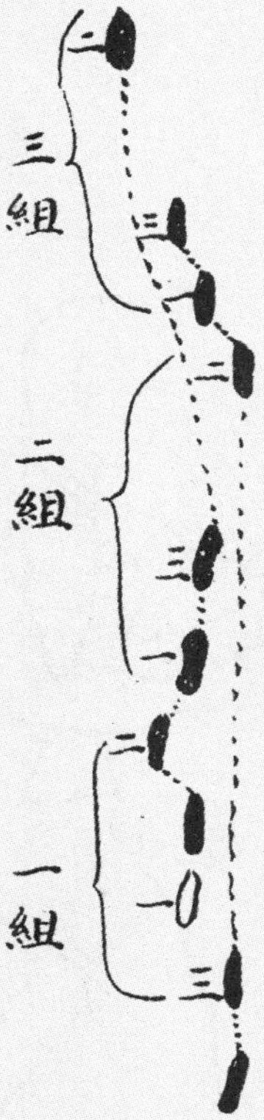

二、起勢及落勢　前腳提，後腳孤立，兩掌變拳，前陽後陰，陽者如鑽拳裹肘垂肩，高與眉齊，陰者隱匿前肘之下，目須平視，此起勢也。前腳猛進，後腳隨跟，進步之際，前拳入，後拳出，入者變陰，出者變陽，出者拳鑽而肘橫，橫者所以制敵，鑽者所

以攻敵、此落勢也、
起勢圖
落勢圖

三、四身勢　右手出、則右轉身、左手出、則左轉身、轉時以後脚為軸、前脚隨身、從右（左）向後轉、脚落地時、即成起勢、急作落勢、手法與落勢同、如左圖、

○第二章　五行生克

五行生克者。二人相對之拳也。其相生也。金生水、水生木、木生火、火生土、土生金、如是生生不已。變化無窮。即劈拳變鑽拳。鑽拳變崩拳。崩拳變砲拳。砲拳變横拳。横拳又變劈拳。臨機應變。

一在乎學者之熟練。與自己之運用耳。其相克也。金克木、木克土、土克水、水克火、火克金。即劈拳破崩拳。崩拳破橫拳。橫拳破鑽拳。鑽拳破砲拳砲拳破劈拳。若兩人對練時。甲生之。乙克之。乙生之。甲克之。循環不息。所以應用也。

茲述其動作如左、

第一節　開勢（即三體勢）

設甲乙二人、取適當之距離、均用三體勢站穩、（如左圖）

第二節　動作

１、甲以進步崩拳、一面壓迫乙之左臂、一面攻擊乙之腹部、乙即以左手托甲之右肘、同時左足隨左手而起、復隨右手而落、以崩拳還擊之（如左圖）

乙、甲復按乙之動作還之以崩拳、而乙則以左肘裹甲之左臂、急進右足、用右掌劈甲之左胸、（此金克木也、）

3、甲急退左足、同時利用乙之推力、以左臂架起乙之右掌、且以右拳攻擊乙之腹部、（此火克金也）、

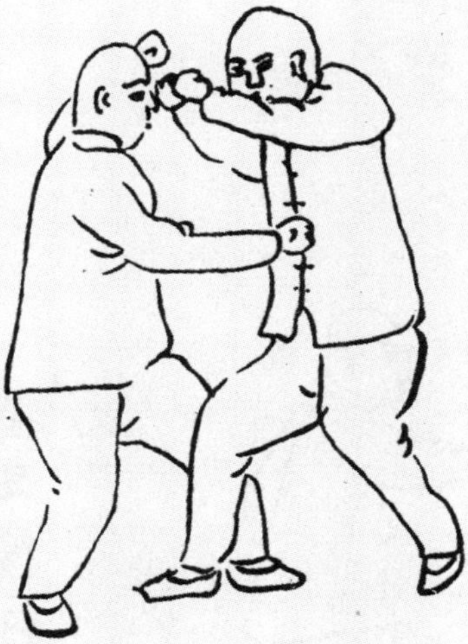

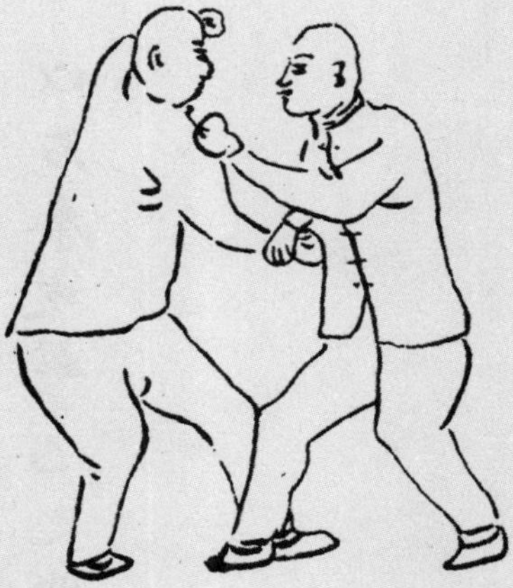

〤乙以右手壓迫甲之右拳、同時進左足、鑽出左拳、直擊甲頦部、（此水克火也、

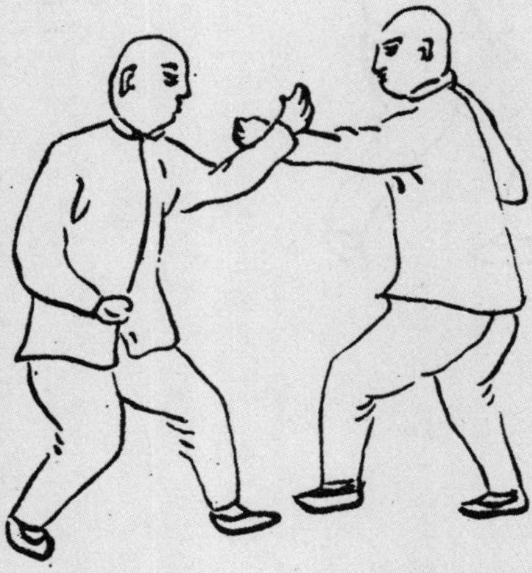

〥、甲以左拳橫出、右足退一大步左足隨之、稍向後移、（此土克水也、

6、乙復用進步崩拳甲稍退、以左掌壓之、乙復用崩拳、而甲如乙之(2)動以劈拳破之、以下成循環式、學者玩索而自得之、茲不復贅、(如左圖)、

○第三章 進退連環拳

連環拳者。五行合一之勢也。分演之為五行。合演之為連環。以其勢皆循環連貫。故以連環名之。然此拳以五行為母。五拳未習熟。不必學連環也。且既熟五拳。亦非習連環無以明變化之妙。而收應用之功。至其分合。總不外起鑽落翻。陰陽動靜。習者深心揣摩。自能領悟矣。

第一節 路線

第二節 開勢

連環拳之開勢。仍用三體勢。其要領同第一編第一章第五節。

第三節 進步崩拳

由三體勢兩手變拳進左腿、右拳陽出、順落齊心、左拳順回、陽拳齊臍、同時右腿隨進、腰對左踵、提肛、挺腰、垂肩、兩腿梢緊、(其要領與本編第一章、第二節同)、如下圖、

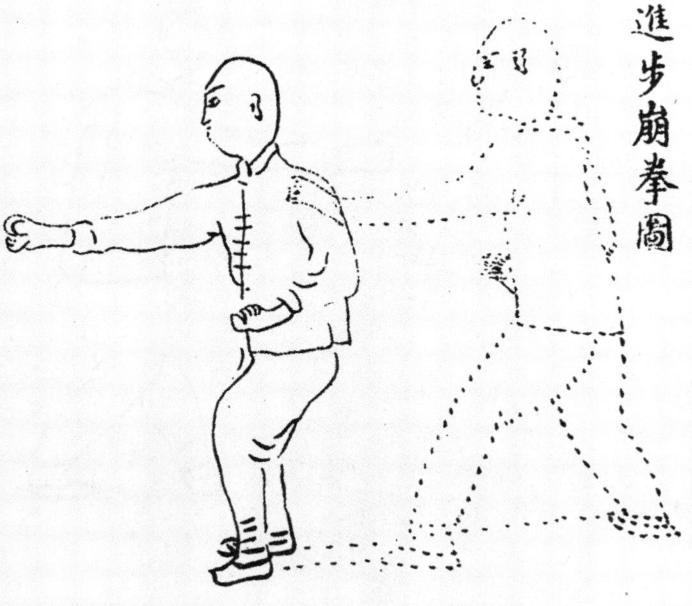

進步崩拳圖

第四節　退步崩拳

右腿斜退一步脚横落、左腿大退一步、脚直落、後脚尖直前脚外脛骨、右腿退時、兩臂靜保原勢至左脚落時、右臂抱肋、猛撤齊臍、左臂力出齊心、兩腿成剪形、故又名剪子步、(其要領與崩拳收勢同)、如下圖、

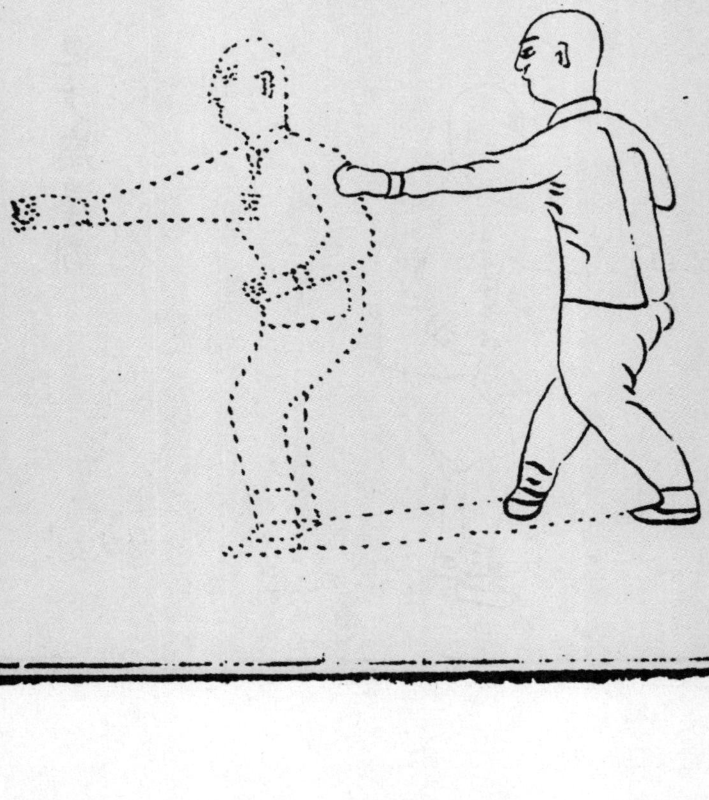

第五節　順步崩拳

右骽進紲、右拳陽出、順落齊心、左拳順回、陽落齊臍、左脚捎跟、如左圖、

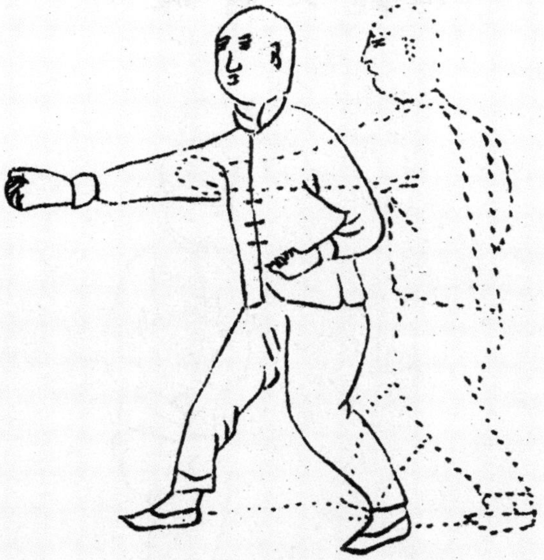

第六節　白鵝亮翅

右拳陽收齊臍、與左拳交叉、用力向下鑽至襠、成十字、即以原勢上起至額、同時左腿斜退、兩拳又各繞半圈、繞時兩肘向裏包裹、其力不散、至襠左掌右拳力打、同時右腿撤、與左腿并攏、腿皆稍絀、如下圖、

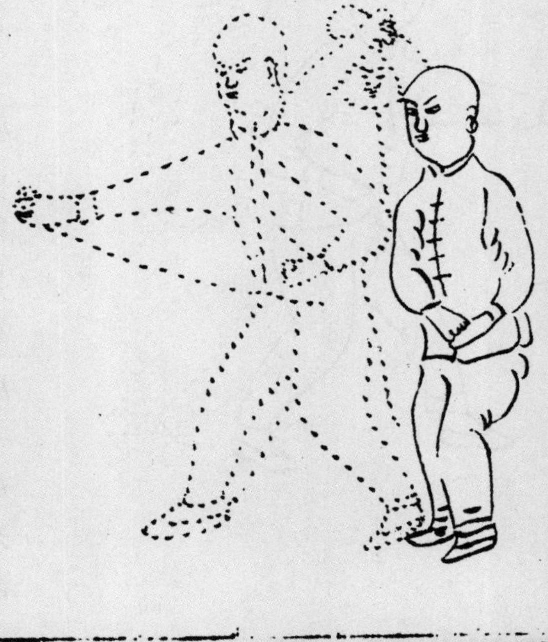

第七節　進步砲拳

右腿進、左拳出齊心、同時右拳翻上至額、（其要領與砲拳同、

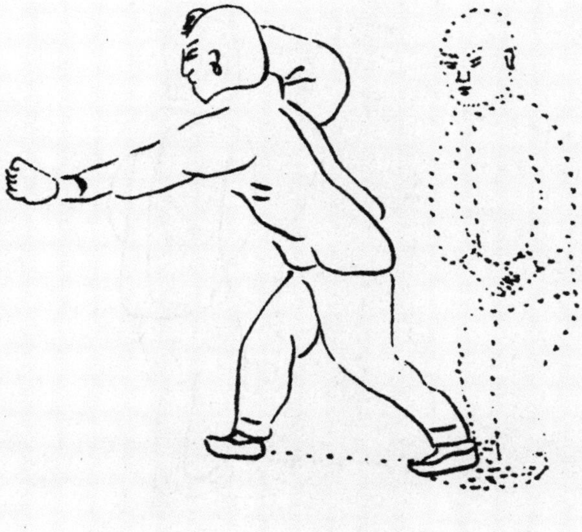

第八節、退步鑽拳

右掌横攔、左拳退至左脇、右腿大退、右掌下落、左拳由胸部鑽出、左腿退與右脚并提、此四動、必須手脚相合、動作同時、兩腿稍縱、兩拳陽置臍部、左横右頂、如下圖、

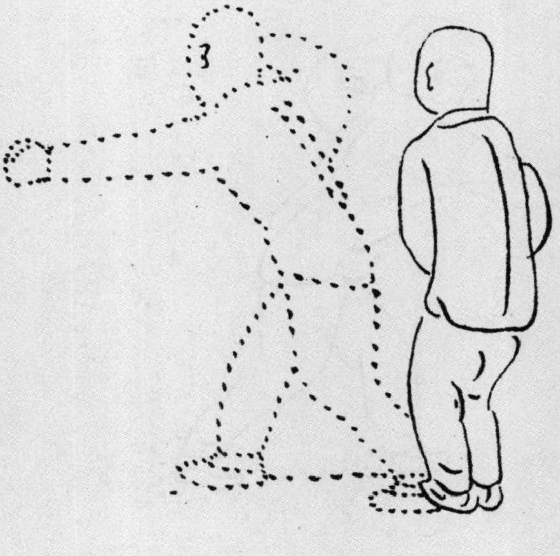

第九節　進步撥掌

左腿進、左掌外撥、右掌隨左掌起落、但仍在臍部、其精神與劈拳同、右腿隨進、兩腿仍如前勢、兩眼視左掌、如下圖、

進步撥掌圖

第十節　進步鑽拳

左腿稍進、仍繼左掌變拳、右拳鑽出齊眉小指上翻、左拳回撤陽置脇、右腿稍跟、亦有如橫拳作法者、然無論鑽橫、務以包裹嚴密為要、故又名包裹勢、如左圖、

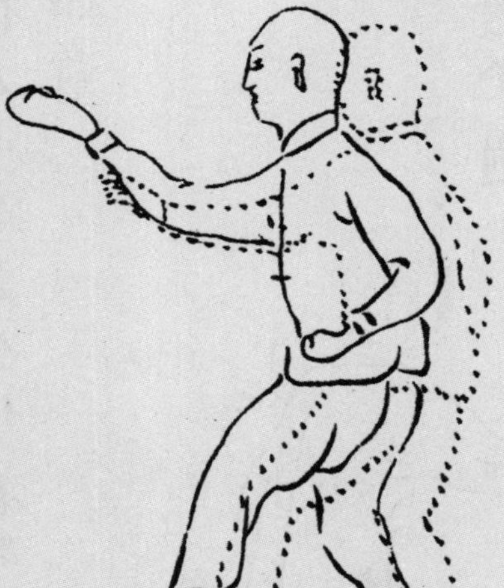

第十一節 拗步劈拳

由前勢墊步稍進復、以右脚前進、而橫落、同時左掌用力劈出、右掌覆挽、左腿稍跟、眼視前掌、俗稱貍貓上樹、如下圖、

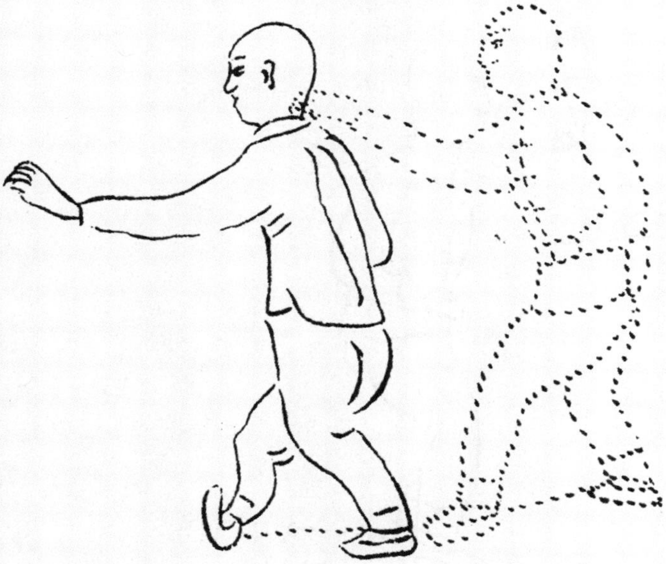

第十二節 進步崩拳

兩掌變拳、右脚順進、左腿大進、右拳陽出、順落臍心、左拳順田陽置臍、右腿隨進、腰對左踵、提肛、挺腰、垂腹、兩腿稍繃、如下圖、

進步崩拳圖

第十三節　回身勢

回身與本編第一章、第二節、崩拳回身勢同一要領、如下圖、

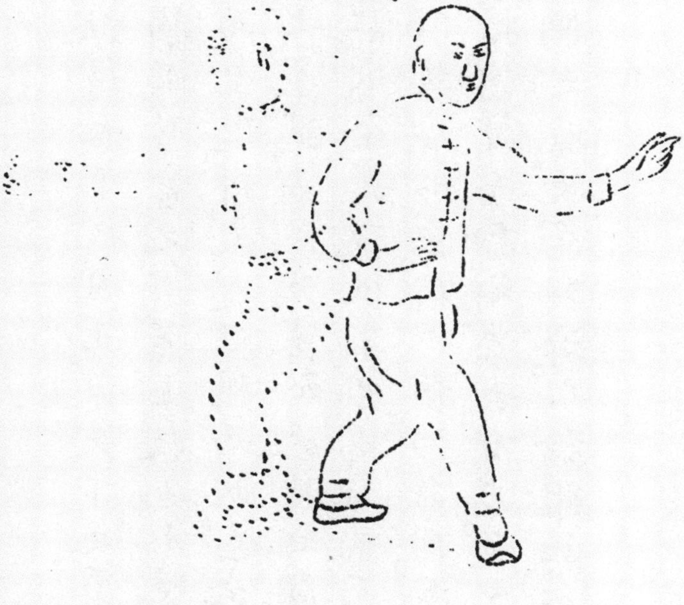

回身勢圖

下编 緒論

第一章 岳武穆九要論

器上而通乎道。技精而入乎神。惟得天下之至正。秉天下之真精者。乃能窮神而闡幽。形意之用。器也。技也。形意之體。道也。神也。器技常人可習。而至道神。大聖獨得。而明。岳武穆精忠報國。至正至剛。其浩然之氣。誠霈然充塞於天地之間。故形意之精。非武穆不能道其詳。然全譜散佚不可得而見。而豪芒流落。祇此九要論而已。吾儕服膺形意。得以稍涉藩圍。竊賴此耳。此論都九篇。理要而意精。詞詳而論辯。學者有志。朝夕漸摹。而一芥之細。可以參天。濫觴之流。泛為江海。九論雖約未始不可通微合莫造室升堂也。

第一節 一要論

散之必有其統。分之必有其合。故天壤間衆類羣儔紛紛者。各有所屬。千彙萬品攘攘者。自有其原。蓋一本可散萬殊。而萬殊咸歸一本。乃事有必然者。且武事之論。亦甚繁矣。要之詭變奇化。無往非勢。即無往非氣。勢雖不類。而氣歸於一。夫所謂一者。從首至足。內之有五臟筋骨。外之肌肉皮膚五官百骸。連屬膠聚而一貫者也。擊之不離。牵之不散。上思動而下為隨。下思動而上為領。上下動而中節攻。中節動而上下和。內外相連。前後相需。所謂一貫。乃斯之謂而要。非強致襲為也。適時為静。寂然湛然。居其所而穩如山岳。直時為動。如雷如崩。出也。忽爾疾如閃電。且宜無不静。表裏上下全無參差牵掛之累。宜無不動。左右前後概無遁倍猶豫之部。洶若水之就下。沛然莫禦。砲之內發。疾不掩耳。無勞審度。無煩酌辨。不期然而然。莫之致而致。是豈無故而云。然通氣以日積而見。益功以久練而方成。揆聖門一貫之傳。必俟多聞強識之後。豁然之境。不廢鑽仰前後之功。故事無難易。功惟自盡。不可躐等。不可急遽。歷階以升。循序而進。而後官骸肢節自能通貫。上下表裏不難聯結。庶乎散者統之。分者合之。四體百骸終歸一氣而已。

第二節　二要論

論捶而必兼論氣。夫氣主於一。實分為二。所謂二者。即呼吸也。呼吸即陰陽也。陰陽即清濁也。捶不能無動靜。氣不能無呼吸。吸則陰。呼則陽。靜者陰。動者陽。上升為陽。下降為陰。蓋陽氣上升而為陽。氣下降而為陰。陰氣下行而為陰。陰氣上行而為陽。此陰陽之分也。何謂清濁。升而上者為清。降而下者為濁。清氣上升。濁氣下降。清者為陽。濁者為陰。要之陽以滋陰。陰以滋陽。統言為氣。分言為陰陽。氣不能無陰陽。即人不能無動靜。口不能無呼吸。鼻不能無出入。廼對待循環者然。則氣分為二。實主於一。學貴神通。慎勿膠執。

第三節　三要論

夫氣本諸身。而身之節無定處。三節者。上、中、下也。身則頭為上節。身為中節。腿為下節。頭則天庭為上節。鼻為中節。海底為下節。中節則胸為上節。腹為中節。丹田為下節。下節則足為稍節。膝為中節。胯為根節。肱則手為梢節。肘為中節。肩為根節。手則指為梢節。掌為中節。掌根為根節。足例是故自頂至足。莫不各有三節也。要之若無三節之所。即無着意之處。蓋上節不明。無依無宗。中節不明。渾身是空。下節不明。動輒跌傾。顧可忽乎哉。故氣有所。發。則梢節動。中節隨。根節催。然此廼按節分言者。若合而言之。則上自頭頂。下至足底。四體百骸。總為一節。夫何三節之有。又何各有三節之足云。

第四節　四要論

試于論身論氣之外。而進論夫梢者焉。夫梢者身之餘緒也。言身者初不及此。言氣者亦屬罕論。捶以內而外發。氣由身而達梢。故氣之用。不本諸身。則虛而不實。不形諸梢。則實而仍虛。梢亦烏可不講。然此特身之梢耳。而猶未及乎氣之梢也。四梢為何。髮其一也。夫髮之所係。不列於五行。無關乎四體。似不足立論。然髮為血之梢。血為氣之海。縱不必本論諸髮。以論氣。要不能離乎血。而生氣不離乎血。即不得不兼及乎髮。髮欲衝冠。血梢足矣。抑舌為肉梢。而肉為氣之囊。氣不能形諸內之梢。即無以充其氣之量。故必舌欲催齒。而後肉梢足矣。至於骨梢者、齒也。筋梢者、指甲也。氣生於骨。而聯於筋。不及乎齒。即未及乎筋之梢。而欲足乎爾者。要非齒欲斷筋。甲欲透骨。不能也。果能如此。則四梢足矣。四梢足而氣自足矣。豈復有虛而不實。實而仍虛者乎。

第五節　五要論

拳者、即捶以言勢。即勢以言氣。人得五臟以成形。即由五臟而生氣。五臟者、心肝脾肺腎。乃性之源。氣之本也。心為火、而象炎上。肝為木而形曲直。脾為土、而勢迺敦厚。肺為金而有從革之能。腎為水、而有潤下之功。此乃五臟之義。而有準之於氣者。皆各有所配合焉。迺論武事所不可離者。其在內也。胸位肺迺五臟之華。故肺動而諸臟不能靜。兩乳之中位心、而護以肺。蓋心居肺之下。胃之上。心為君火。心動而相火無不奉合焉。兩脇之間。左為肝。右為脾。背脊骨十四節皆為腎位。分五臟而總係於脊。脊通身骨髓。而腰為兩腎之本位。故腎為先天第一。尤為諸臟之原。故腎水足。而金木水火土咸有生機。然五臟之存於內者。雖各有定位。而機能又各具於週身。頷。頂腦骨背皆腎也。兩耳亦為腎。兩唇兩腮皆脾也。兩髮則為肺。天庭為六陽之首。而萃五臟之精華。實頭面之主腦。不啻為一身之座督矣。印堂者陽明胃氣之衝。天庭性起機由此達。生發之氣。由腎而達於六陽。實為天庭之樞機也。兩目皆為肝。細繹之上包為脾。下包為胃。大角為心經。小角為小腸。白則為肺。黑則為肝。瞳則為腎。實為五臟精華所聚。而不得專謂之肝也。鼻孔為肺。兩頤為腎。耳門之前為胆經。

耳後之高骨亦腎也。鼻為中央之土。萬物資生之源。實為中氣之主也。人中乃血氣之會。上冲印堂。達於天庭。而為至要之所。兩唇之下為承漿。承漿之下為地閣。上與天庭相應。亦腎位也。頜頂頸項者。五臟之尊達。氣血之總會。前為食氣出入之道。後為腎氣升降之途。肝氣由之而左旋。脾氣由之而右旋。其係更重。而為周身之要領。兩乳為肝。肩窩為肺。兩肘為腎。四肢為脾。兩肩膊皆為脾。而十指則為心肝脾肺腎。膝與腿皆腎也。兩脚根為腎之要。湧泉為腎穴。大約身之各部。突者為心。陷者為肺。骨之露處皆為腎。筋之連處皆為肝。肉之厚處皆為脾。象其意、則心如猛虎。肝為箭。脾氣暴發似雷電。肺經翕張性空靈。腎具伸縮動如風。其用為經。制經為意。臨敵應變。不識不知。手足所至。若有神會。洵非筆墨所能預述者也。至於生克治化。雖有他編。而究其要領。自有統會。五行百體。總為一元。四體三心。合為一氣。奚必斷斷於一經一絡。節節而為之哉。

第六節　六要論

心與意合。意與氣合。氣與力合。內三合也。手與足合。肘與膝合。肩與胯合。外三合也。此為六合。左手與右足相合。左肘與右膝相合。左肩與右胯相合。右之與左亦然。以及頭與手合。手與身合。身與步合。孰非外合。心與眼合。肝與筋合。脾與肉合。肺與身合。腎與骨合。孰非內合。豈但六合而已耶。然此特分而言之也。總之一動而無不動。一合而無不合。五行百骸悉在其中矣。

第七節　七要論

頭為六陽之首。而為周身之主。五官百骸。莫不惟首是瞻。故身動頭不可不進也。手為先行。根基在膊。膊不進。則手却而不前矣。故膊貴於進也。氣聚中腕。機關在腰。腰不進。則氣餒而不實矣。故腰亦貴於進也。意貫周身。運動在步。步不進。而意則膛然無能為矣。故步尤貴於進也。以及上左必須進右。上右必須進左。其為七進。孰非為易於着力者哉。要之未及其進。合周身而毫無關動之意。一言其進。統全体而俱無抽扯游移之形。

○第八節 八要論

身法為何。縱橫高低進退反側而已。縱則放其勢。一往而不返。橫則裹其力。開括而莫阻。高則揚其身而有增長之意。低則抑其身而有撲捉之形。當進則進。殫其身而勇往直冲。當退則退。領其氣而回轉伏斂。至於反身顧後。後即前也。側顧左右。左右豈敢當哉。而要非拘拘焉為之也。察乎敵之強弱。運用吾之機關。有忽縱而忽橫。因勢而變遷。不可一概而推。有忽高而忽低。高低隨時以轉移。不可執格而論。時而宜進。故不可退而餒其氣。時而宜退。即當以退而鼓其進。是進固進也。即退而亦實賴以進。若反身顧後。而後亦不覺其為後。側顧左右。而左右亦不覺其為左右矣。總之機關在眼。變通在心。而握其要者。則本諸身。身而進。則四体不令而行矣。身而卻。則百骸莫不冥然而退矣。身法顧可置而不論哉。

○第九節　九要論

身之動也以步。步乃一身之根基。而運動之樞紐也。以故應戰對敵本諸身。所以為身底柱者。莫非步。隨機應變在於手。

而所以為手之轉移者。亦在步。進退反側非步何以作鼓盪之機。抑、揚、伸、縮、非步無以操變化之妙。所謂機關者在眼變化者在心。而所以轉彎抹角千變萬化、而不至於窘迫者何莫非步為之司命耶。而要非勉強以致之也。動作出於無心。鼓舞出於不覺。身欲動、而步為之周旋。手將動而步亦為之催逼。不期然而然。莫之驅而驅。所謂上欲動而下自隨也。且步分前後。有定位者步也。然而無定位者、亦為步。如前步之進、後步之隨、前後自有定位。若以前步作後。後步作前。更以前步作後之前步。後步作前之後步。則前後亦自然無定位矣。總之拳乃論勢。而握要者為步。活與不活。固在於步。靈與不靈。亦在於步。步之為用大矣哉。

第二章　練習

武術以實驗為主。蓋其奧妙。必切實練習。方能有成。而其理論。亦不過如航行之指南耳。世間致用之學。在熟練。不在精巧。在實行。不在冥想。即聖門精一之傳。猶貴一心守約。況形意為運動之一道。絕非理想之所能得。故練習尚焉。然練習亦必有道。茲分節詳論於左。

第一節　練習之注意

練習之注意約分三期。一曰練習前之注意。二曰練習中之注意。三曰練習後之注意。練習之前。勿饑勿飽。勿構思。勿忿怒。蓋饑則無力。飽則傷胃。構思則腦易昏。忿怒則氣暴而易亂也。練習之中。勿談笑。勿唾涎。勿出虛恭。蓋談笑則神散而不凝。唾涎則喉乾而炎升。出虛恭則氣洩而力散矣。練習之後。勿飲食。勿排洩。勿臥。蓋飲食而易滯。排洩則氣潰。臥則氣抑而不疏矣。凡此三者。當熟記而不可忽也。

第二節　練習之法則

練習約有二法。一曰兩段之練習也。拳之每組。分為二段。第一段宜柔和徐緩。所以疏展筋骨。誘導氣力也。第二段宜剛猛迅速。所以發揚內勁。適於應用也。二曰三段之練習也。前段宜柔緩。中段宜剛猛。後段宜平和。如行文然。首段提綱挈領包羅全局。筆勢緩而柔。寬而博。中間獨伸己見。議論縱橫。如長江大河。一瀉千里。後段結束上文。和平委宛。此文家之妙。而武術之練習亦何獨不然。以上二法精粗各自不同。前者粗。適於初學。後者精。適於久練。然無論何法。必以動作迅速。而間隔判然為宜。

第三節　專練

習拳術者。對己者十八。對人者十二。故曰壯身者其常。勝敵者其暫也。專言壯身。無論何拳。均可習練。至於勝敵。則形意專擅其長。且勝敵之道。貴精不貴多。勝一人用此勢。勝人人亦可用此勢。務博而荒。求繁而亂。身体無切磋之磨練。應敵無純熟之技藝。此兩失也。人情之所樂觀而致意者。在濃不在澹。在博不在約。在急不在緩。孤幹無枝之喬松。固不若鮮花翠柳之快意。迨經酷霜嚴雪孰為後凋可斷言矣。形意多單勢。平時練習之正則也。

第四節　久練

深無止境。廣無涯涘者。惟拳術為然。得其淺者。一人敵。得其最深者何嘗不可萬人敵也。習拳固宜虛心。而淺嘗輒止。忽作忽輟。亦不可望其深造。且形意拳尤不易為。數月已自可觀。十年亦非絕藝。淺者視之。容有後不如前。久不如暫者。蓋熟化之至。內力充外力縮也。非多歷年所。熟復而無間斷。未足以臻此極境。臻極境者。一由於虛心。一由於恒性也。論者恒謂拳術多私。每有請而不告。告而不盡者。夫豈其然。其心易滿者。或輕試而招禍。或好爭而欺人。自亡之媒也。其性無常者。一知半解。自視已足。朝興暮止。自謂已成。至於試之無效。不曰我師欺我。則曰所習已誤。不惟傳授失人。而拳術亦為一世所輕矣。豈私也哉。

岳氏意拳五行精義終

五行連環拳譜合璧

深州李存義口述
廣宗杜之堂編錄

五行拳譜

第一章　總論

第一節　五行解

五行者，金木水火土也。內有五臟，外有五官，皆與五行相配。心屬火，脾屬土，肝屬木，肺屬金，腎屬水。此五行之隱於內者。目通肝，鼻通肺，舌通心，耳通腎，人中通脾。此五行之著於外者。五行有相生之道焉。金生水，水生木，木生火，火生土，土生金。又有相克之義焉。金克木，木克土，土克水，水克火，火克金。五行見於洪範，而漢儒借之以解經，後人每譏其於義無取，而生克之理究不爲不當也，拳之以是取名，用以堅實其內，整飭其外，取相生之道，以爲平時之習練，取相克之義，以爲對手之破解云爾，非必沾沾於古說也。

第二節　五拳解

崩、鑽、劈、礟、横五拳之名稱也。崩拳之形似箭，性屬木。礟拳之形似礟，性屬火。横拳之形似彈，性屬土。劈拳之形似斧，性屬金。鑽拳之形似電，性屬水。由相生之說論之，故横拳能生劈拳，劈拳能生鑽拳，鑽拳能生崩拳，崩拳能生礟拳，礟拳能生横拳也。萬物生於土，故横拳能生各拳。由相克之說論之，故劈拳能克崩拳，崩拳能克橫拳，橫拳能克鑽拳，鑽拳能克礮拳，礮拳能克劈拳也。

第三節　四梢說

人有血肉、筋、骨。血肉筋骨之末端，曰梢。蓋髮爲血梢，舌爲肉梢，爪爲筋梢，牙爲骨梢，四梢用力，則可變其常態，而令人畏懼焉。

一　血梢

怒氣填膺，豎髮衝冠，血輪速轉，敵膽自寒，毛髮雖微，摧敵何難。

二　肉梢

舌捲氣降，雖山亦撼，肉堅比鐵，精神勇敢，一舌之威，落魄喪膽。

三　筋梢

虎威鷹猛以爪爲鋒，手攫足踢氣力兼雄，爪之所到皆可奏功

四　骨梢

有勇在骨切齒則發，敵肉可食皆裂目突惟牙之功令人恍惚

第四節　八字訣

四梢之外又有八字，拳勢一站八字具備，皆所以蓄力養氣，使敵我者失所措也，此亦五行拳所特有者，八字之名稱，一曰頂二曰扣，三曰圓，四曰毒，五曰抱，六曰垂，七曰曲，八曰挺，而八字又各有三事，都二十四事，分述之如左：

一　三頂

頭上頂有衝天之雄，手外頂有推山之功，舌上頂有吼獅吞象之容，是謂三頂。

二、三扣

肩扣則氣力到肘，掌扣則氣力到手，手足指扣則周身力厚，是謂三扣。

三　三圓

脊背圓，則力催身，前胸圓則兩肱力全，虎口圓，則勇猛外宣，是謂三圓。

四　三毒

心毒如怒狸攫鼠、眼毒如觑兎之飢鹰、手毒如捕羊之餓虎、是謂三毒。

五　三抱

丹田抱氣、氣不外散。膽量抱身、臨變不變。兩肱抱肋、出入不亂。是謂三抱。

六　三垂

氣垂則氣降丹田、肩垂則肩催肘前、肘垂則兩肱自圓。是謂三垂。

七　三曲

兩肱宜曲，曲則力富，兩股宜曲，曲則力湊，手腕宜曲，曲則力厚，是謂三曲。

八　三挺

挺頸則精氣貫頂，挺腰則力達四梢，挺膝則氣恬神壹，是謂三挺。

第二章　分論

第一節　開勢

五行拳用法最精密，由身而肩，而肱，而手，而指，而股，而足，而舌，而肛門。莫不有說焉，分條列之於左：

一　身

前俯後仰，其勢不勁，左側右欹，皆身之病，正而似斜，斜而似正。

二　肩

頭欲上頂，肩須下垂，左肩成坳，右肩自隨，身力到手，肩之所爲。

三　肱

左肱前伸，右肱在肋，似曲不曲，似直不直，曲則不遠，直則少力。

四　手

右手在脇，左手齊心，後者微搦，前者力伸，兩手皆覆，用力宜多均。

五　指

五指各分，其形似鈎，虎口圓開，似剛似柔，力須到指，不可强求。

六　股

左股在前，右股後撑，似直不直，似弓不弓，雖有支絀，每見雞形。

七　足

左足直出，欹側皆病，右足勢斜，前踵對脛，二尺距離，足指扣定。

八　舌

舌爲肉梢，捲則氣降，目張髮立，丹田愈壯，肌肉如鐵，內堅腑臟。

九　肛

提起肛門，氣貫四梢，兩骹繚繞，臀部肉交，低則勢散，故宜稍高。

開勢不惟五拳開始用之各拳用者甚夥宜熟讀九歌以自練習

開勢圖

第二節　劈拳

一　路線

形意與諸拳不同者前脚先進後脚必跟也拳之用也宜速進前脚則便捷靈敏必能取勝拳之進也宜猛跟後脚則氣催身往必不可當不惟劈拳然也劈拳之路線三步爲一組前脚進爲一後脚進爲二既進之脚復跟爲三如下圖

二 起勢

兩手緊握同變陽拳
拳從口出小指翻天
高不過肩眉力垂兩左肩
後拳隨出肘置胸前
眼平舌捲氣降丹田

起勢圖

三 落勢

前脚先開後脚大進
脚手齊落推挽兩迅
後脚斜跟前脚仍順
指開心齊後手脇近
脚手與鼻列成直陣

落勢圖

四　回身勢

右手在前則左轉身（左手在前則右轉身）前脚在後後脚在前仍然前脚進爲一後脚進爲二既進之脚復跟爲三如下圖

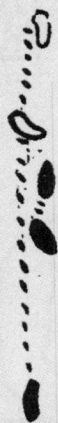

第三節　鑽拳

一　路線

亦以三步爲一組與劈拳同

二　起勢

左脚前進左掌翻陽
掌凹肱曲如弓斯張
右掌握拳仰置肋旁
眼觀前手鋭氣發揚
速接落勢乃不能防

起勢圖

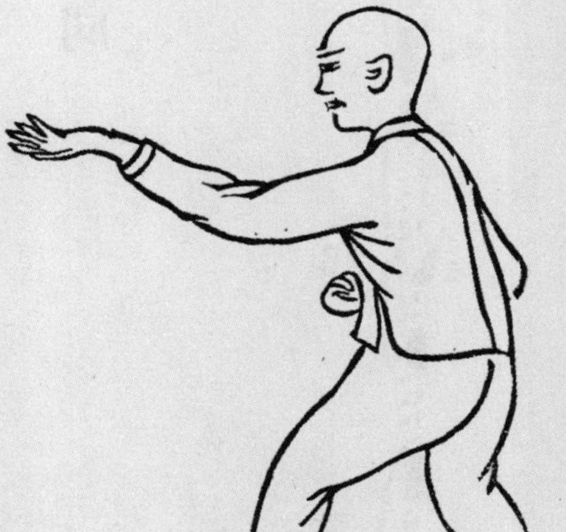

三　落勢

左脚已開右脚再進
脚落拳鑽覆拳宜迅
左脚斜跟右脚仍順
前拳取鼻後拳肘近
脚手與鼻列成直陣

落勢圖

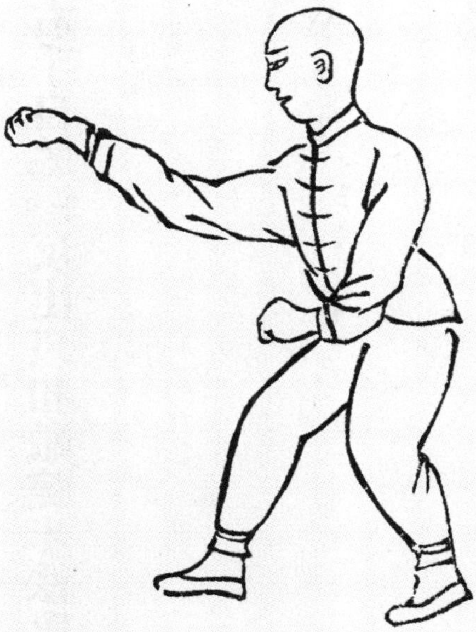

四　回身勢

右手在前則左轉身（左手在前則右轉身）右手自脇邊反出以扣敵腕步法與劈拳同

第四節　崩拳

一　路線

崩拳極簡單不能分起落勢而回身較他拳爲繁故以出勢回身分段其鍊法左骸在前右骸脚跟進故亦名左骸崩拳如下圖

二 出勢

左脚先開右脚隨進
脛對左踵骸曲勢峻
兩掌變拳後陽前順
順者力撓陽者前奮
兩手互易步法莫紊

出勢圖

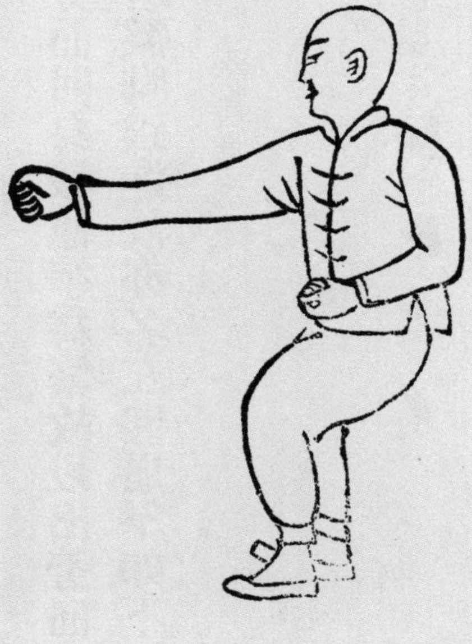

三　回身勢

左脚右横隨勢轉身
右脚横提右拳陽伸
左拳抑抱推挽力均
脚手齊落兩掌變陰
後掌在脇前掌齊心

回身勢圖

四 收勢

他拳徑收惟崩拳則於二次回身後打出則左手在前右骸斜退一步脚橫落左骸大退一步斜落骸退時兩手存原勢至左脚落時右手猛撤左手力出名曰退步橫拳路線如下

第五節　礮拳

一　路線

劈鑽以三步爲一組崩拳以二步爲一組礮拳則以四步爲一組勢皆斜出如下圖

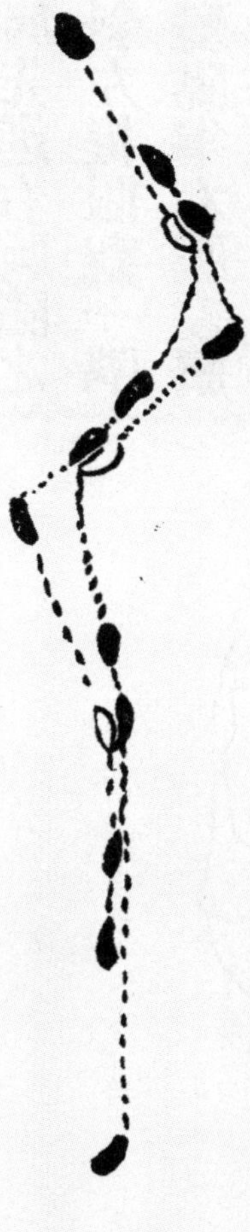

二 起勢

左脚先進右脚隨之
右斜左提眼觀一隅
掌變陽拳右脇左臍
有如丁字莫亢莫卑
兩肘夾肋舌捲氣垂

起勢圖

三　落勢

右拳順出如石之投
左拳裏翻置之眉頭
足提者進與左拳併
左右互換無用他求
試詳路線如龍如虯

落勢圖

四　回身勢

左手出則左轉身（右手出則右轉身）轉時左脚稍動右脚回至左脚地而左脚提起仍斜打譬如路線南北轉身前打東南者轉身後則打東北四隅皆依此類推下爲一隅路線圖

第六節 橫拳

一 路線

橫拳亦用斜勢其步數類劈鑽而非直線其彎曲似礮拳而步數減如下圖

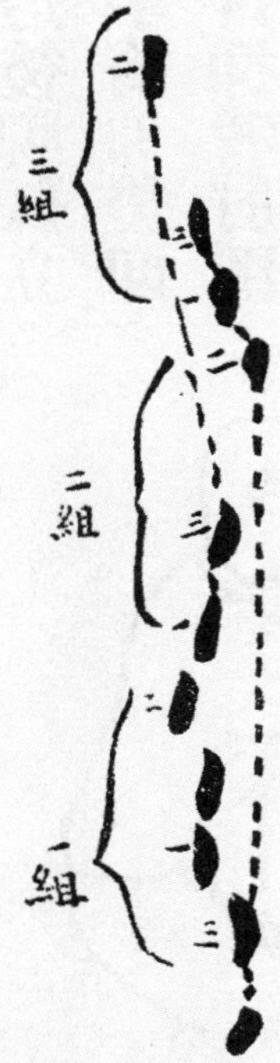

二 起勢

前脚提退後脚孤立
兩手成拳前仰後抑
仰者眉齊抑者肘匿
身正眼平卷舌屏息
停峙雖暫宜厚其力

起勢圖

三　落勢

脚進而落已成翦形
後拳外鑽前拳退行
鑽翻小指退與肘平
下拳横出故以横名
手足變換反用則成

落勢圖

四　回身式

左手出則右轉身（右手出則左轉身）右轉時左脚稍動右脚進左脚進拳鑽右脚跟如下圖

第三章 結論

第一節 練習

一 專練

習拳術者對己者十八對人者十二耳故曰壯身者其常勝敵者其暫也專言壯身無論何拳均可習練至於勝敵則五行拳專擅其長焉且勝敵之道貴精不貴多勝一人用此勢勝人人亦可用此勢務博而荒求繁而亂身體無切確之磨練應敵無純熟之技藝此兩失也人情之所樂觀而致意者在濃不在澹在博不在約在急不在緩孤幹無枝之喬松固不若鮮花翠柳

之快意迨經酷霜冒嚴雪熟爲後凋可斷言矣五行拳皆單勢平時練習之正則也

二　久練

深無止境廣無涯涘者惟拳術爲然得其淺者一人敵得其最深者何嘗不可萬人敵也習拳固宜虛心而淺嘗輙止忽作忽輟亦不可望其深造且五行拳尤不易爲數月已自可觀十年亦非絕藝淺者視之容有後不如前久不如暫者蓋熟化之至內力充外力縮也非多歷年所熟復而無間斷未足以臻此極境臻極境者一由於虛心一由於恒性也謂論者恒謂拳術多

私每有請而不告告而不盡者夫豈其然其心易滿者或輕試而招禍或好爭而欺人自亡之媒也其性無常者一知半解自視已足朝興暮止自謂已成至於試之無效不曰我師欺我則曰所習已誤是不惟傳授失人而拳術亦爲一世所輕矣豈私也哉

第二節　變化

拳雖有五而寔有神妙之功用自其變化言之則劈拳有六鑽礮橫各有七崩拳有九共三十六套以下分述之凡前所有者皆列每段之首

一　劈拳

正步劈拳　進步劈拳　退步劈拳　搖身劈拳　轉身劈拳

捋手劈拳

二　鑽拳

順步鑽拳　進步鑽拳　退步鑽拳　搖身鑽拳　轉身鑽拳

拗步鑽拳　捋手鑽拳

三　崩拳

左骸崩拳　進步崩拳　退步崩拳　搖身崩拳　轉身崩拳

十字崩拳　順勢崩拳　右骸崩拳　捋手崩拳

四　礮拳

拗步礮拳　進步礮拳　退步礮拳　搖身礮拳　轉身礮拳

順步礮拳　捋手礮拳

五　橫拳

拗步橫拳　進步橫拳　退步橫拳　搖身橫拳　轉身橫拳

順步橫拳　捋手橫拳

五行拳譜終

連環拳譜

第一章　總論

第一節　名稱

變化五行拳合爲一套倏進倏退勢皆循環光怪陸離勢皆連貫故謂之連環拳以其進退無常也故又謂之進退連環拳今從簡稱

第二節　練習

連環拳以五行拳爲母五拳未能習熟不必學連環拳此拳共有十勢又進退各半雖往復練之範圍亦小是以有引長之法練習於寬地亦不見爲短也引長之法前節不轉身至崩拳仍接二勢則往復足四十勢矣

第三節　應用

拳法以應用爲主連環拳可以連環用之握之則爲拳伸之則爲掌故可變爲連環掌此徒手之應用也刀槍棍劍無不可用有刃者則砍有鋒者則刺無鋒刃者則打不過手勢之變化耳故器械無論雙單長短大小皆可包括無遺苟明變化之功用何往而不應用哉

第四節　路線

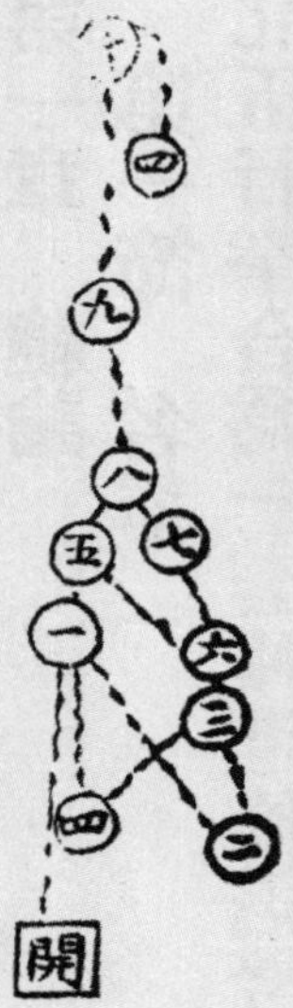

第二章　分論

第一節　開勢

連環拳仍用五行拳之開勢

開勢圖

第二節　進步崩拳

由開勢兩手變拳進左骸左拳陰出順落齊心左拳順回陽落齊臍同時右骸隨進脛對左踵提肛兩骸稍紐

進步崩拳圖

第三節　退步橫拳

右骽斜退一步脚橫落左骽大退一步脚斜落右骽退時兩手存原勢至左脚落時右手猛撤齊臍左手力出齊心兩骽翦形故又名翦子步

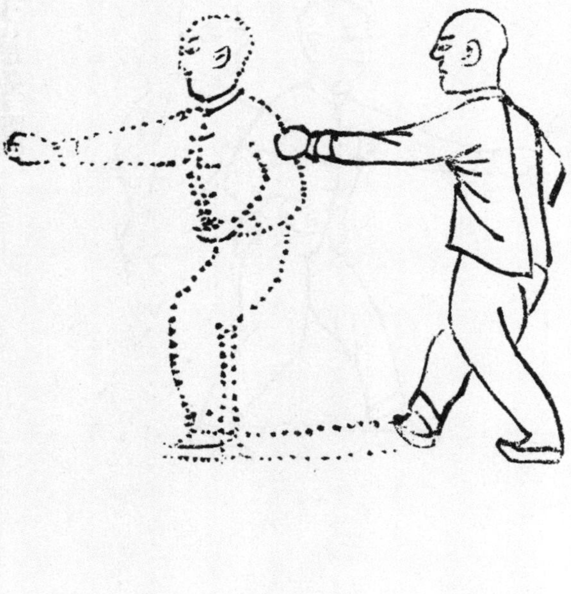

退步橫拳圖

第四節　順步崩拳

左髮進紲右拳陽出順落齊心左拳順回陽落齊臍左脚稍跟

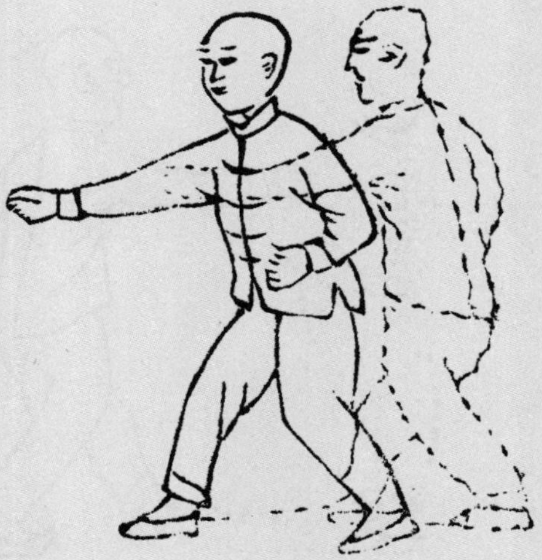

順步崩拳圖

第五節　白鵝亮翅

左骸退兩拳攏至襠成十字即以原勢上起至額兩拳又各繞半圓至襠左掌右拳力打右骸於上起時撤與左骸並兩骸皆稍紐

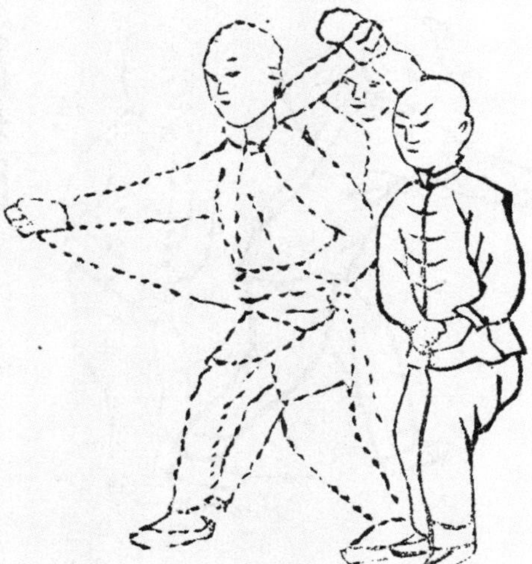

白鵝亮翅圖

第六節　進步礮拳

右骽進紲左拳出齊心右拳翻上至額是謂拗步礮拳

進步礮拳圖

第七節　退步鑽拳

右骽大退右掌下落左拳由胸部鑽出左骽退與右脚並兩骽稍絀兩陽掌置臍部左橫右頂

退步鑽拳圖

第八節　進步撥掌

左骽進左掌外撥右骽右拳皆存原勢眼視掌左骽絀右骽支

進步撥掌圖

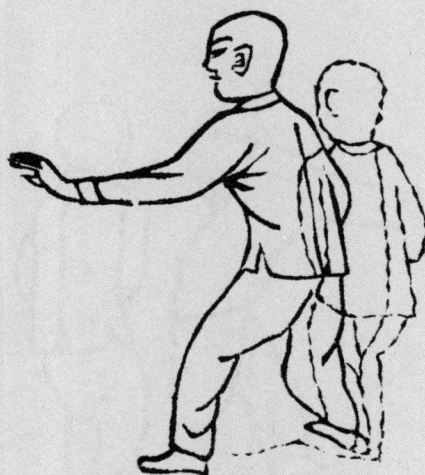

第九節　進步鑽拳

左骸稍進仍紐左掌變拳右拳出小指上翻左拳回撤陽置肋右骸稍跟

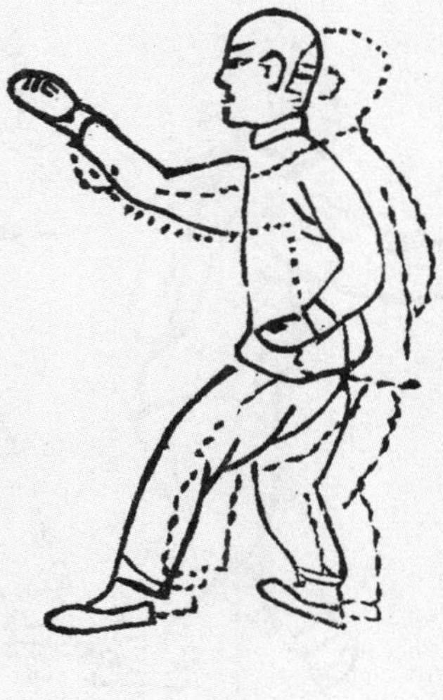

進步鑽拳圖

第十節　拗步劈拳

左骸進兩拳陽置胸前左上右下右脚横落左掌覆推右掌覆挽眼視前掌俗稱狸貓上樹

拗步劈拳圖

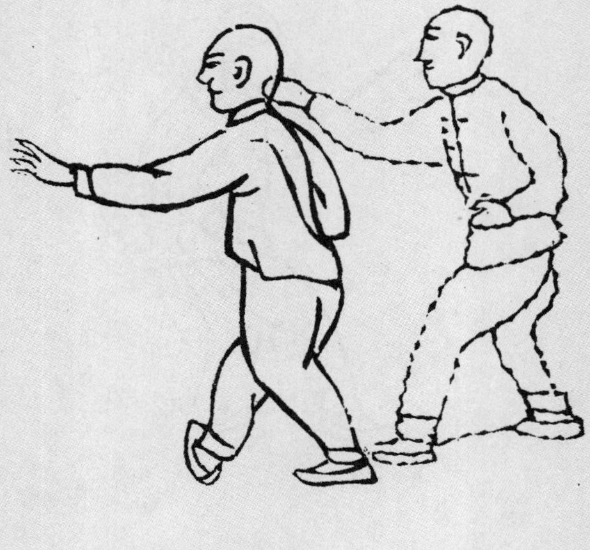

第十一節　進步崩拳

兩手變拳右脚順進左骰大進右拳陰出順落齊心左掌順回陽落齊臍右骰隨進脛對左踵提肛兩骰稍紬

進步崩拳圖

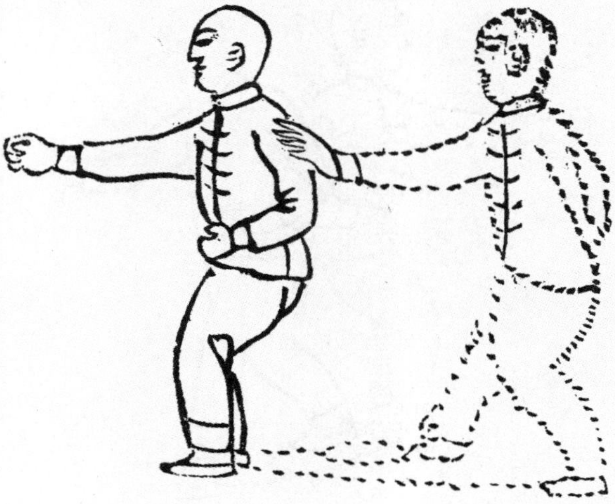

第十二節　回身勢

左脚右横隨勢轉身右脚横提右拳陽伸左拳抑抱推挽力均脚手齊落兩掌變陰後掌在脇前掌齊心

連環拳譜終

回身勢圖

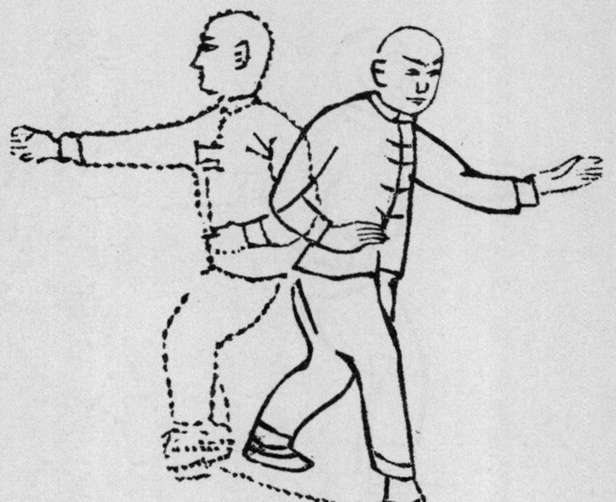

岳氏意拳五行精義

（封面）岳氏意拳五行精义①

注释

①《岳氏意拳五行精义》：李存义原述，董秀升编辑。原作分为《岳氏意拳五行精义》《岳氏意拳十二形精义》上下两册，1934年由晋新书社刊行。本书将两册分别校注出版。

强种先声

邱仰浚[1]题

注释

① 邱仰浚（1896—1949 年）：字沧川，山西沁县人。早年入山西省立法政专门学校，毕业后留学日本明治大学。回国后曾任教于山西省立法政专门学校、山西大学。1925 年，任山西五台县县长。1928 年，任平津卫戍司令部总务处处长。1946 年 3 月，任“国民大会”山西省代表选举总监督。1948 年，当选监察院监察委员。1949 年 1 月 27 日，乘船去台湾途中遇难。

秀升先生属

舆论正鹄

赵守钰[①]题

注 释

① 赵守钰（1881—1960 年）：字友琴，号式如，山西太谷人。早年入保定陆军速成学堂，参加同盟会。辛亥革命后，历任山西陆军部队职。后加入西北军，历任西安警备司令、河南省政府委员、郑州市长、陕西省政府委员等职。抗战后，历任赈济委员会、黄河水利委员会委员长。1946 年，任监察委员。后去台湾。

秀生仁兄嘱题

富强基础

愚弟马甲鼎[①]

注 释

① 马甲鼎（1889—1954 年）：字立伯，山西稷山人。法政学堂毕业。曾任太原监狱暨陆军监狱教务、山西《宗圣报》主编、山西省立教育学院教员、山西省教育厅科员、山西省政府秘书等职。新中国成立后，任职于山西大学，从事古籍整理工作。

健身强国

秀升大兄属　常赞春[①]题篆

注 释

① 常赞春（1872—1941 年）：字子襄，山西榆次人。清光绪二十八年（1902 年）中举，宣统元年（1909 年）考入京师大学堂，师从林纾等经学大师，授文学士。民国七年（1918 年），授国会众议院议员。终身从事教育及文化事业，谆谆善导，著作等身，桃李满三晋，为著名教育家、国学家、文学家和书法家。

国之本在家，家之本在身。炼身即所以兴家，即所以卫国，即所以争存民族，此大本营。不真好好注意变化形骸之气质，一切应付皆为儿戏，皆是空谈之高调。

秀升名师命题　黄岩柯璜[1]

注 释

① 柯璜（1876—1963 年）：浙江省黄岩县人，现台州路桥桐屿人。清末毕业于京师大学堂。历任山西大学美术教员、山西博物馆馆长、山西图书馆馆长、北京故宫古物陈列所主任。

宝我国魂

秀升大兄属　梁成哲题

强国之基

贾蕴高[1]题

注释

① 贾蕴高（1885—1940 年）：名万隆，字蕴高，号慕骞，山西省清徐人。17 岁到河南学商，好武善文，初学弹腿、长拳，后拜宋世荣为师，得其真传。他天性刚直，身体魁梧，臂力超人，切磋技艺直进直入，同道者都很赞慕。1933 年至 1935 年间，山西、山东曾分别举办过武术赛会，他被聘为裁判。1940 年被日寇杀害。

吾华国粹，乃武乃文。文动天地，武转乾坤。拳术之祖渊源有自，递衍代嬗，独标心意，卓哉董君，手挹精华，强国强种，我武威扬。凡吾同胞，念兹在兹，手此乙编，体育之师。

甲戌夏五月之吉

箕谷武吟仙志于实业部

秀升先生嘱

阐扬国术

弟吕生才敬题

自序

秀升[1]于民七，奉山西警务处长委任，为山西官医院中医士。每于诊病之暇，尝喜研习吾国各派武术，如岳氏六合意拳[2]、少林五行[3]、八卦[4]、太极[5]、公立拳[6]、罗汉拳[7]及宋氏之内功、纳卦、神运、地龙拳等经。[8]虽皆有各门受[9]业之专师，大致仅得其皮毛，独恨其习焉而未精也。何者？既服务医事，日与病人相周旋，营营[10]于寒热表里[11]，斤斤[12]于补泻温凉[13]，极劳极苦极沉闷；目所见多憔悴之色，耳所闻惟呻吟之声，使不研习武术，以舒吾襟怀，则我身久已酿成郁症，故余之研习武术则等于自服乌药陈皮也。盖闻德育、智育、体育三者为立身之要术，亦治国平天下之大经，凡古往今来之大英雄大豪杰，莫不根基乎此。谚云：欲为健全之事业，必具健全之身体。所以欲充其德智而成大英雄大豪杰以平治天下国家者，必先由锻炼身心始。况吾国体育一道，发明最早，自伏羲[14]画卦，内运先天之气以存心意，外法鸟兽之迹以为形势，内外交修之旨，于斯著焉。慨自欧西火器流于中国，而武术之肄[15]几废不讲；虽文明国民各有其独精之技，又为世罕靓[16]，类如日本尚能传其柔术[17]，以炫于世。我中国之大，乃于先民所遗武术罔知研索，岂非有心人大惜者乎！现我国民政府鉴于人民之日弱，遂竭力提倡国术以资图强，然教者虽多，精者殊鲜。或其间有一二杰出者，得其窍要，然非心性褊狭[18]即粗鄙不文，其教人也，语焉而不详[19]，传焉而不精，使学者迷离恍惚，如坠云雾，而欲登堂入室亦已难矣。今春，山西民众教育馆来聘，担任国术教员，夏六月又应山西国术促进会之聘为国术教师。自忖医术资生[20]，于此道敢云精进，幸渊源有自，未入歧途。公余时，遂将民三住天津武社会[21]时，有该会总教务、直隶深县李存义老师伯授有《岳氏意拳精义》[22]一书，细为修正，编分上下两册，付诸石印，以广李师之传。惟此书乃李师一生精力所述，深得个中精奥，非世之夸大虚誉者同日而语也。如书中所述三体势、八字诀、九歌等，及岳武穆九要论、十六要诀，并曹继武[23]先生十法摘要、养气学论、练法规则等，皆意拳真正神髓。学者神而明之，会而通之，既足以却病延寿，又可健身强国，非止免除衰弱之痛苦，且能自卫而卫人。盖练武者则身健，身健则魄力雄、意志强，魄力雄、意志强则天下凡百事业不难为也。

民国二十三岁次甲戌夏正，太谷董秀升序于并垣之养性轩

注 释

① 秀升：董俊（1882—1939 年），字秀升，山西省太谷县董村人。幼时在本乡从其父及拳师多人，学练当地传统拳械和形意拳，尚属启蒙。及长，外出学艺，多处投师，艺业渐臻精美，在省外尤负盛名。离晋后，先从学于耿继善先生，继于 1914 年住天津“中华武士会”，求学于前辈李存义、张占魁。1918

年返里，师事宋虎臣先生。此后，受山西国民教育馆和山西国术促进会之聘，兼任国术教师。民国十四年（1925 年），撰成《少林五行柔术谱》，民国二十三年（1934 年），编成《岳氏意拳五行精义》《岳氏意拳十二形精义》两册。董虽在多处兼任国术教师，从学者众多，但执帖弟子仅数人。入室弟子有李锦文、商长锁、李桂昌、刘毅、申秉廉、苗玉林、王乃一等。

② 岳氏六合意拳：即形意拳。古谱相传，形意拳创始自宋朝民族英雄岳飞，元明二代因无书籍，几乎失传。明末清初之际，山西蒲东诸冯人姬际可，武艺超群，访名师于终南山，得岳武穆（岳飞）拳谱，后传曹继武，曹传戴龙邦，戴传李洛能，至清末民初形意拳成为中国影响最大、普及最广的拳种之一。

③ 少林五行：亦称“少林五形”，清朝中叶的福建少林寺内的拳种之一。在少林寺武艺的始创时期，只有五形拳，即龙、蛇、虎、豹、鹤，后人又发展为十形拳。五形拳是少林俗家弟子苗显及五枚大师所创。1925 年，董秀升撰《少林五行柔术谱》一书，介绍南少林五行柔术底功，包括五掌（托、推、云、撵、摩）、五拳（龙、蛇、虎、豹、鹤）、五功（卧牛功、麻辫功、木球功、木板功、吊袋功）、四十二种基本动作（提牛势、捉牛势、望月势等），还有五趟相手法对击套路等。练时禅拳一体，内外兼修，别具风格。

④ 八卦：即八卦掌，又称游身八卦掌、八卦连环掌，是一种以掌法变换和行步走转为主的中国传统拳术。清朝末年，河北文安人董海川在江南游历时，得到道家修炼的启示，结合武术加以整理，创立了八卦掌。由于其运动方向纵横交错，分为四正四隅八个方位，与“周易”八卦图中的卦象相似，故名八卦掌。八卦掌首先在北京一带流传，后遍及全国，并传播到国外。

⑤ 太极：即太极拳，是以中国传统儒、道哲学中的太极、阴阳辨证理念为核心思想，集颐养性情、强身健体、技击对抗等多种功能为一体，结合易学的阴阳五行之变化、中医经络学、古代的导引术和吐纳术形成的一种内外兼修、柔和、缓慢、轻灵、刚柔相济的汉族传统拳术。传统太极拳门派众多，常见的

太极拳流派有杨式、陈式、武式、吴式、孙式、和式等派别，各派既有传承关系，相互借鉴，也各有自己的特点，是当今中国影响最大的传统拳术。

⑥ 公立拳：也称“弓力拳”“公议拳”。据考证为山西省榆次市东阳镇人赵莲所创。赵莲（1657—1748 年），字晋聘。从小喜文善武。曾官居湖北省江陵县正堂，花甲之后回归故里，精研拳法，集诸家之长，创弓力拳。由于受“家传不外”的约束，弓力拳的发展受到一定限制，至第四代赵大根为给其子伴学才传给同村人安晋源。清光绪年间，安晋源在河北张家口开设“三合镖局”，广交武林好手，此拳才得以广泛传播。

⑦ 罗汉拳：南拳之一。此拳象形取义，取十八罗汉之姿，故称罗汉拳。罗汉拳在福建流传久远，拳系有别，但风格特点大同小异，应视为流传沿革中之变异。影响较大的有五支：一是清道光初年，一位法号为空因的行脚僧传罗汉拳于泉州开元寺；二是 1933 年，闽赣交界九莲山游方和尚一清大师传罗汉拳于漳州南山寺；三是永泰县方广岩宝空和尚传拳于谢宝匡；四是清乾隆时，少林武僧智远传拳于福州“庆香林”香火店；五是清朝末年，广袖法师传拳于俗家恩公。以上五支均传承至今。

⑧ 宋氏之内功、纳卦、神运、地龙拳等经：原文误作“地龙拳”，衍一字，当为“地龙”。《内功真传》又名《内功四经》，由《内功经》《纳挂经》《神运经》《地龙经》四篇文章组成，作者、成书年代均不详。清代琅琊人王南溪整理注释并传于世。后此书传入形意门中，而促成宋氏形意之名震武林，所谓书因拳显、名因人重，《内功四经》至此才真正成了“内功圣经”。

⑨ 受：原文误作“受”，据文义当为“授”。

⑩ 营营：忙碌。

⑪ 寒热表里：中医术语，系八纲辨证（指阴阳、表里、寒热、虚实八类证候，为中医辨证学的基本纲领）的具体内容之一。八纲辨证的特点在于把握疾病发生发展过程的整体性、确定性与相关性。

⑫ 斤斤：明察。

⑬ 补泻温凉：中医术语。“补泻”是针对虚实病情起作用的两种药性。“寒、热、温、凉”，四种药性，古时也称四气。

⑭ 伏羲：古代传说中中华民族人文始祖，是中国古籍中记载的最早的王，是中国医药鼻祖之一。相传伏羲人首蛇身，与女娲兄妹相婚，生儿育女。他根据天地万物的变化，发明创造了占卜八卦，创造了文字。

⑮ 肄：音 yì，学习。

⑯ 靓：原文误作“靓”，据文义当为“覯”。覯，音 gòu，遇见，看见。

⑰ 柔术：日本柔术是一种古老的日本武术，在日本广义的柔术是指徒手的武术，其中心精神是避免对方的攻击，转而制服敌人，即“以柔克刚”之术。据说柔术起源于古代战场上的厮杀，最初是类似相扑的二人插手合抱的较力，后来随着技术发展，出现拧手腕、反关节、倒身摔等。柔术有许多不同的流派，各种流派各自有着不同的技巧。现代的柔道和合气道均演变自柔术。

⑱ 褊狭：狭小，狭隘。褊，音 biǎn。

⑲ 语焉而不详：虽然提到了，但说得不详细。

⑳ 资生：有助于国计民生。

㉑ 武社会：原文误作“武社会”，据文义当为“武士会”，即中华武士会。

㉒《岳氏意拳精义》：形意古拳谱。1914 年，李存义授董秀升该书。据此，董秀升“细为修正，编分上下两册，付诸石印”，即成《岳氏意拳五行精义》《岳氏意拳十二形精义》。但从董秀升著述内容看，多系《武术研究社成绩录》（1918 年）所编。《岳氏意拳精义》与《武术研究社成绩录》两书之渊源有待进一步考证。（《武术研究社成绩录》为保定军官学校刊行的武术教材，以下简称保定本）

㉓ 曹继武：名曰玮，字继武。清康熙年间安徽贵池人。形意拳史载：曹继武，心意六合拳始祖姬际可弟子，曾传拳于戴龙邦，为形意拳发展史上的重要人物。

岳氏意拳五行精义目录

上编

意拳总论

意拳者，拳之内家[①]者也。用合天地，化生万物之形。体本五行，循环生克之意。盖天地之初，混混沌沌，茫然大气，既无归宿之可指，复无界限之可言。逮[②]岁月嬗递[③]，略就范围，渐成一气，继则轻清上浮，重浊下降，阴阳[④]剖判，阴阳再合，遂成三体，于是五行循环，化生万物。此天地进化之大概也。夫人身配天而生者也，其于养生之术，运动之道，须准天地进化之自然。而潜心顺修，复按五行生克之意，而动静不乖[⑤]，尤复旁参万物之变，而交推互证，庶几[⑥]揽阴阳、夺造化，生生不息，幻变无穷，此意拳之妙用，抑亦养生不可须臾[⑦]离者也。若形意之拳，净原浑虚，动充四体，翩若惊鸿，婉若游龙，敛而不局，放而不肆，约而不迫，张而不疏，神恬而不涉于寂，体静而不沉于枯，还精于周身[⑧]，清神以积中，祛欲启蔽，长年益寿，神完而气定捍[⑨]，邪侵而避物秽，是超艺而进于道者也。至应变无方，接物无形，不虚不妄，不馁[⑩]不葸[⑪]，郁勃如风云，声呼如雷霆，出入如鬼电，重如山隤[⑫]，轻如风扫，攻坚杀敌，毫不经意者，尤其末焉者耳。

注 释

① 内家：即内家拳，武术拳种之一。据传内家拳为明人张三丰所创。此说法始见于明末清初人黄宗羲（1610—1695 年）创作的《王征南墓志铭》。雍正年间的曹秉仁在《宁波府志》中又以《王征南墓志铭》为史实，重叙张三丰创内家拳之说。16 世纪中叶，内家拳盛行于浙江一带，陈州同、张松溪为当时的名家。据黄百家《内家拳法》所述，此拳有应敌打法、穴法、练手三十五、练步十八、七十二跌、卅五拿等。自黄百家后，内家拳渐趋没落。后人将形意拳、八卦掌、太极拳等归于内家拳，把少林拳归为外家拳。

② 逮：到，及。

③ 嬗递：演变，更替。嬗，音 shàn。

④ 阴阳：阴阳学说是中华古哲学的重要概念之一。古人通过对“近取诸身、远取诸物”的研究，总结归纳出阴和阳是宇宙中万物的最基本属性。世界万物的生成、发展，无一不是阴阳击搏、变化的结果。《内经·阴阳应象大论》中说：“阴阳者，天地之道也，万物之纲纪，变化之父母，杀生之本始，神明之府也。”古人运用阴阳学说，造就了许多灿烂的中华文明，其中就包括中华武术。

⑤ 乖：指背离、违背、不和谐。

⑥ 庶几：连词。前面先说明某种情况或条件，以“庶几”连下句，说出后果，含“才能、以便”的意思。

⑦ 须臾：极短的时间，片刻。

⑧ 还精于周身：精，中医学“精、气、血、津液”学说中“精”的概念，滥觞于中国古代哲学一元论中的“精气说”。在“气”的概念的演变过程中，以《管子》为代表，将“气”的范畴规定为精、精气，提出了“精气说”，认为“精气”是最细微而能变化的“气”，是最细微的物质存在，是世界的本原，是生命的来源。还精于周身，指身体中充满了凝聚着天地精华的能量。

⑨ 神完而气定捍：神完，精神饱满。气，元气。捍，同“悍”，勇猛、强劲之意。神完而气定捍，指精神饱满，元气充足、稳定、强劲。

⑩ 馁：音 něi，没有勇气。

⑪ 葸：音 xǐ，畏惧的样子。

⑫ 隤：音 tuí，垮塌、崩颓、坠下。

第一章　不动姿势

凡事有动必有静，动者静之效，静者动之储也。舍动言静，其失也枯；离静言动，其失也枵[①]。然静为动之源，而运动者，尤必先致力于静，如是则气内充，而力外裕矣。意拳者，以气行而不动姿势，实为入门初步，建本清源之道，学者应三致意焉。

第一节　无极[②]势

两足跟并齐，两足尖分度约九十，两臂切身下垂。此时当无思无欲、无形无像、无物无我，一气浑沦，无所向意，顺天地之自然，茫若扁舟泛巨海，静若木鸡植中庭。是之谓无极。（图1）

图1　无极势图

第二节 虚无含一[3]势

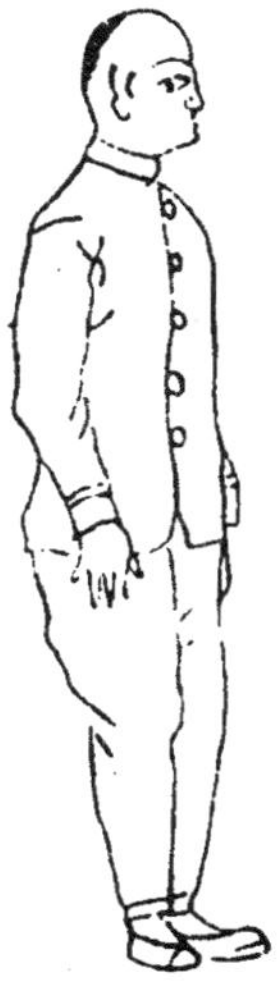

图2 虚无含一势图

由无极势半面向左，左足在前，靠右足胫骨，两足尖分约四十五度；两臂紧垂，腕曲掌摺，舌顶上腭，肛门上提，将浑沦之气略加收聚。是谓虚无含一气，亦即吾人先天真一之气，而为形意拳之内劲。（图2）

注 释

① 枵：音 xiāo，空虚。

② 无极：在中国古代哲学范畴上，无极指派生万物的本体。语出《老子》。无极即道，是比太极更加原始更加终极的状态。庄子在《逍遥游》中说："无极之外，复无极也。"意思是世界无边无际，无穷之外，还是无穷。无极便是无穷。汉代的河上公《老子章句》认为，复归无极就是长生久视。依道门观念，与道相合，才能长生久视，因此将无极解释成道，或者解释成长生久视，是一致的。道家从宇宙演化的角度使用无极一词，常与太极对举，指比天地未辟更加古老、更加终极的混沌阶段。这一阶段，就是道。因此，无极是太极的根源。道家追求与道合一，与道合真，追求返回到元初的终极状态，这就叫作复归无极。

③ 虚无含一：孙禄堂《形意拳学》："虚无者，是也；合一气者，是也。虚无生一气者，是逆运先天真一之气也。但此气不是死的便是活的，其中有一点生机藏焉。此机名曰先天真一之气，为人性命之根，造化之源，生死之本，形意拳之基础也。将动而未动之时，心内空空洞洞，一气浑然，形迹未露，其理

已具，故其形象太极一气也。”先天一气，又称先天真一之气、先天真气、太乙含真气，道教内丹学专有名词。其意为在天地生成之前的一气，是天地万物的本根母体。道教丹道的先天一气说，渊源甚早，可追溯于《老子想尔》关于道气的论述，是蜀地独有的丹道理论。先天一气说得五代彭晓发扬光大，后被张伯端《悟真篇》、翁葆光《悟真篇注释》、赵友钦《仙佛同源》、陈致虚《金丹大要》等丹家、丹经所继承和发展，为丹道正宗学说。

第三节　太极[①]势

由前势左足跟靠右足胫骨，足尖分四十五度，两足跟向外扭劲，足尖抓地；两腿徐直下湾[②]，约百二十度；两胯平均扣劲，腰挺直；两肩扣垂，两肘紧抱两胁，两手抱心；左手在下，右手在上，左手食指前伸平直，右手中指亦前伸平直，两指叠合；颈直竖，头上顶。身不可前俯后仰，不可左右歪斜；眼突舌卷气降，心中平定，不可努气，心与意合，意与气合，气与力合，[③]心意诚于中，而肢体劲于外，一气流行。是谓太极。（图3）

图3　太极势图

注 释

① 太极：道家哲学概念。始见于《易》：“易有太极，始生两仪，两仪生四象，四象生八卦。”孔颖达疏：“太极谓天地未分之前，元气混而为一，即是太初、太一也。”宋代理学家则认为“太极”即是“理”。《朱子语类》卷七五：

"太极只是一个浑沦底道理，里面包含阴阳、刚柔、奇偶，无所不有。"清朝王夫之《张子正蒙注·太和》："道者，天地人物之通理，即所谓太极也。""太极"这一概念影响了儒学、道教等中华文化流派。《易纬·乾凿度》和《列子》有"太易、太始、太初、太素、太极"宇宙五阶段的说法。宋儒周敦颐在《太极图说》开篇就说："无极而太极。"这给《老子》中提到的"无极"一词注入了理学含义，也就把"无极"的概念与"太极"联系在一起。清代乾隆年间太医院汇编的《医宗金鉴》则采用了五阶段说法："无极太虚气中理，太极太虚理中气。乘气动静生阴阳，阴阳之分为天地。未有宇宙气生形，已有宇宙形寓气。从形究气曰阴阳，即气观理曰太极。"《系辞》又说："两仪生四象，四象生八卦。"其意指浩瀚宇宙间的一切事物和现象都包含着阴和阳，以及表与里的两面。而它们之间存在着既互相对立斗争又相互滋生依存的关系，这即是物质世界的一般规律，是众多事物的纲领和由来，也是事物产生与毁灭的根由所在。天地之道，以阴阳二气造化万物。天地、日月、雷电、风雨、四时、子前午后，以及雄雌、刚柔、动静、显敛，万事万物，莫不分阴阳。人生之理，以阴阳二气长养百骸。经络、骨肉、腹背、五脏、六腑，乃至七损八益，一身之内，莫不合阴阳之理。"太"有"至"的意思，"极"有"极限"之义，就是"至于极限，无有相匹"之意，既包括了至极之理，也包括了至大至小的时空极限，放之则弥六合，卷之退藏于心。可以大于任意量而不能超越圆周和空间，也可以小于任意量而不等于零或无。以上是"太极"二字的含义。

② 湾：湾，古同"弯"。后同。

③ 心与意合……气与力合：即"内三合"，是内家拳重要的理论之一。

第四节　两仪[①]势

由太极势左足前进二尺许，足尖直前，右足不动，足尖向右约三十度，左足踵直，右足胫骨成大人字形；同时左手前伸，右手退后，左手伸至极端，高与口齐，右手虎口内向，与脐接，而小指外翻，腕曲掌搨，手足齐落。左臂似曲非曲，似直非直，微向上内湾，由腕至肘水平。右臂弯曲如新月，肘意内抱。手指均须离开，稍圆曲，如爪如钩，切忌局弯著[②]力。左手大指横平，食指前伸，余指及腕掌如右手。两目注视虎口玦形[③]，两肩两胯皆均力垂扣，两肘力垂，两膝挺扣，两足跟力向外扭，是谓肩与胯合，肘与膝合，手与足合。[④]此时上身正直，不可俯仰；心气平静，不可助长。身则看阳而有阴，看阴而有阳。气则呼出为阳，吸入为阴。清气上升为阳，浊气下降为阴。诚于内者为阴，形于外者为阳。呼吸上下内外三者，以象阴阳，故谓之两仪。（图4）

图4　两仪势图

注 释

① 两仪：属于中国古代哲学范畴。最早出自《周易·系辞上》："易有太

极，是生两仪。”孔颖达疏：“不言天地而言两仪者，指其物体；下与四象（金、木、水、火）相对，故曰两仪，谓两体容仪也。”系指天地。近代武术家借用此词引申到拳法中。

② 著：古同“着”。后不另注。

③ 玦形：玦，音 jué，半环形有缺口的佩玉。玦形，这里指食指与拇指撑开后虎口处形成的弧弯。

④ 肩与胯合……手与足合：即“外三合”，是内家拳重要的理论之一。“内三合”与“外三合”合称“六合”。

第五节　三体[1]势

由两仪呼吸相应，上下相贯，内外如一，谓之阴阳相合。阴阳相合，而三体生焉。三体者，天地人三才之象也。在人为头手足，头以象天，手以象人，足以象地，取其聪明睿智，才力气魄广大精奇，足以相配也。夫天地间形形色色，大哲学家未能尽知；事事物物，大博物家未能悉辨。然以归纳法括之，均不外天地之化生，人工之制造也。换言之，意拳之精微奥妙，大拳师未必尽其能；生克变化，大方家未能尽其用。然以归纳法括之，均不外头手足之伸缩运动也。故欲知天地间之物，尽意拳之妙，先致力于三体，庶几得其要矣。三体为意拳之基础，如操练之立正，凡百运动皆基于此，故分条详论于左。（图 5）

图 5　三体势图

第一条　三节

全身分为三节，头为上节，身为中节，股为下节。各节复分三节，以头言之，天庭为上节，鼻为中节，海底为下节；以身言之，胸为上节，腹为中节，丹田[②]为下节；以股言之，足为梢节，膝为中节，胯为根节；以肱言之，手为梢节，肘为中节，肩为根节；以手言之，指为梢节，掌为中节，掌根为根节。三节既明，而内劲发动之脉络，即可知矣。盖指之力源于掌，掌之力源于掌根，故掌根摧[③]掌，掌摧指，而劲乃出。手之力源于肘，肘之力源于肩，故肩摧肘，肘摧手，而劲乃行。足之力源于膝，膝之力源于胯，故胯摧膝，膝摧足，而劲乃通。然肩胯之劲源于身，身之劲源于丹田，为内劲之总源也。

注释

① 三体：指人之上、中、下部位。所谓“三才”是指“天地人”，也指“上、中、下部分”。三体势是形意拳起势的开端。曹志清言：形意桩功是由无极入静，虚无含一气渐生，由太极而充盈，由两仪而循行（谓小周天），由三体而贯通（谓大周天）。

② 丹田：重要部位，指人体脐下一寸半或三寸的地方，也称下丹田。古人视丹田为贮藏精气神的所在，因此很重视丹田，把它看作是“性命之根本”“十二经之根”“阴阳之会”，是真气升降开合的枢纽，是汇集、烹炼、储存真气的重要部位。练功时，除特殊情况外，一般所说意守丹田，就是指意守下丹田。

③ 摧：原文误作“摧”，系“催”之误。后同。

第二条　四梢

血肉筋骨之末端曰梢，发为血梢，舌为肉梢，指为筋梢，牙为骨梢。四梢用力，则常态猝变，令人生畏。

一、血梢：怒气填胸，竖发冲冠，血轮速转，敌胆自寒，毛发虽微，摧敌何难。

二、肉梢：舌卷气降，虽山亦撼，肉坚比铁，心神勇敢，一舌之威，落魄丧胆。

三、筋梢：虎威鹰猛，以指为锋，手攫足踏，气力兼雄，指之所到，皆可奏功。

四、骨梢：有勇在骨，切齿则发，敌肉可食，眦裂目突，惟牙之功，令人恍惚。

第三条　八字诀

四梢之外，又有八字。三体一站，八字具备，皆所以蓄力养气，使敌我者失所措也。八字之名称：一曰顶；二曰扣；三曰圆；四曰毒；五曰抱；六曰垂；七曰曲；八曰挺。而八字又各有三事，共二十四事也。分述于左。

一、三顶：头上顶，有冲天之雄；手外顶，有推山之功；舌上顶，有吼狮吞象之容。是谓三顶。

二、三扣：肩扣，则气力到肘；掌扣，则气力到手；手足指扣，则周身力厚。是谓三扣。

三、三圆：脊背圆，则力摧身前；胸圆，则两肱力全；虎口圆，则勇猛外宣。是谓三圆。

四、三毒：心毒，如怒狸攫鼠；眼毒，如觑兔之饥鹰；手毒，如捕羊之饿虎。是谓三毒。

五、三抱：丹田抱气，气不外散；胆量抱身，临敌不变；两肘抱肋，出入不乱。是谓三抱。

六、三垂：气垂，则气降丹田；肩垂，则力摧肘前；肘垂，则两腕撑圆。是谓三垂。

七、三曲：两肱宜曲，曲则力富；两股宜曲，曲则力凑；两腕宜曲，曲则力厚。是谓三曲。

八、三挺：挺颈，则精气贯顶；挺腰，则力达全身；挺膝，则腿坚马稳。是谓三挺。

第四条　九歌

九歌者，乃三体之九事，分条研究，以资熟练也。其九事即身、肩、肱、手、指、股、足、舌、肛门是也。分列于左。

一、身：前俯后仰，其势不劲。左侧右欹，皆身之病。正而似斜，斜而似正。

二、肩：头欲上顶，肩须下垂。左肩成拗，右肩自随。身力到手，肩之所为。

三、肱：左肱前伸，右肱在肋。似曲不曲，似直不直。曲则不远，直则少力。

四、手：右手在脐，左手齐心。后者劲搨，前者力伸。两手皆覆，用力宜均。

五、指：五指各分，其形似钩。虎口圆开，似刚似柔。力须到指，不可强求。

六、股：左股在前，右股后撑。似直不直，似弓不弓。虽有支绌，每见鸡形。

七、足：左足直出，欹侧皆病。右足势斜，前踵对胫。二尺距离，足指扣定。

八、舌：舌为肉梢，卷则气降。目张发竖，丹田愈壮。肌肉如铁，内坚腑脏。

九、肛：提起肛门，气贯四梢。两腿缭绕，臀部肉交。低则势散，故宜稍高。

此一节自三体势至此，为意拳之格式。格式者，入门一定之规也。无论五行、十二形，皆以此为主。

第二章　意拳养气学

气者，勇之实也。养气即所以养勇，黝舍之流，不肤挠，不目逃，视不胜犹胜，刺王侯若刺褐夫，视三军如无物，盖习养有素，气充乎四体，而溢乎其外，见乎其勇，而不自知也。①然此特气之粗者，抑犹有其精者存焉，至大至刚，配义道而无馁，塞天地，溢四海，故孟轲养之以成贤，文天祥守之以遂忠，盖磅礴凛冽，是气常存，足以助精魄，强神明，不随生死而变灭，此所谓大勇者，宁可与黝舍同论哉?②夫粗者，魄气也；精者，魂气也。魄气生于体，魂气生于天。魂气清明而富于仁，魄气强横而偏于贪。神人不以体魄用事，故养魂而弃魄；愚夫只知有身，故养魄而去魂；圣贤重魂轻魄，故以魂制魄；勇士重魄轻魂，故以魄制魂。此养气之大别也。形意之养魂气乎？魄气乎？抑魂制魄，或魄制魂乎？曰：此皆非形意养气之道也。形意以身体为运动，故不能舍魄以养魂。然其养生之术，须准天地进化之序，生克变化之方，必按五行循环之意，化生万物之形，苟舍魂以养魄，复不能尽形意之能事也。然则何为而后可？曰：魂气灵明，形意之生克变化，赖以神其用者也；魄气浑厚，形意之实内充外，赖以壮其动者也。轻魂则变化不灵，轻魄则实力不厚。必魂魄并重，乃尽形意养气之要功也。

注 释

① 养气即所以养勇……而不自知也：黝，音 yǒu，姓北宫，名黝，战国时期齐国人，勇士。舍，孟施舍，古勇士，生平不详。典出《孟子》。本句大意：养气就是培养无所畏惧的气概，北宫黝、孟施舍一类人，肌肤被刺不退缩，双目被刺不转睛，对待不能战胜的敌人，跟对待能战胜的敌人一样，把行刺大国君主看得跟刺杀普通百姓一样，视庞大的敌人军队如同无物，原因是此类人具有素养，身体内充满意气而充盈到身体外，勇气显现而不自知。

② 然此特气之粗者……宁可与黝舍同论哉：但是这样的意气很粗陋，还存在着比这高层的精神气质，这种气最为盛大、刚强，与道义配合而不萎缩，充塞于天地之间，传播于四海；孟轲培养这种气成为贤才，文天祥坚守这种气完成忠孝；这种气常存，磅礴凛冽，有助于精神魄力，不随生死而变化毁灭，这就是所谓的大勇者，岂可与北宫黝、孟施舍相提并论呢？

第一节　意拳养气之必要

或曰：身体之伸缩也，四肢之变化也，端赖乎筋肉骨血，而五脏之主动于内者，似与气无涉。曰：是不然。人得五脏以成形，复由五脏而生气。五脏之于人，犹轮船之汽房，火车之锅炉，运动变化，固赖乎此。然无蒸气以促动之，则机关虽灵，终无以善其用。气之于人犹是也。故五脏之动，赖乎气，气之强弱虚实，可使人壮老勇怯，况形意为内家运动之一，而变化灵捷，实力充厚，非魂魄并养，不为功使，非培而裕之，扩而充之，又何足供吾人无量之用哉?

第二节　意拳养气之功用

气始生于一，终分为二，即魂魄也，阴阳也。魂气属阳，灵明轻清，可虚实刚柔，循环变化。神乎神乎，至于无形，微乎微乎，至于无声，此阳气之妙用也；魄气属阴，浑厚重浊，可坚强猛烈，不挠不逃，雄魄毅兮，可摧壁，气刚大之而拔山，此阴气之妙用也。武术专家，技臻绝顶者，其攻人也，无迹可寻，虽稠人广象，千目共睹，莫能见其手之所至，足之所履，身之所止，谓为玄无，乃魂气充有以致之也；其被攻也，手触其身，如金城，足冲其股，如铁柱，当之者，颓狼狈却退，乃魄气厚有以成之也。昔武穆用兵，先谋后动。其动也，灵妙变化，飘忽猛烈，莫可推测；其静也，严整庄重，如山岳坚实，莫可撼移。兵家谓不动如山岳，难知如阴阳，非魂魄二气修养有素，何克臻此?故武术之精者，必精于气；精于气者，必精于兵。养气之道，何可忽乎哉?

第三节　意拳养气之法则

形意之讲养气者多矣，或胸中努力，或腹内运气，是皆不明本根，而特齐其末。如告予之不动心者，虽直接而易为，终无补于实际。夫根本者，何也?曰：循理集义，明三节、讲四梢、练八字、熟九歌是也。盖气分魂魄（阴阳），魂气生于天，根于义理；魄气生于五脏，根于四事。如水之有源，木之有本，清源而水流，培本而木茂，自然之理也。若夫孟贲穿窬，童子不支；夏育为盗，懦夫不抗。[1]是乃背理丧义，魂气全失，而猛怯资殊也。江湖无赖，弄姿摆势，然每被击于粗汉；世俗拳师，旋舞跳跃，然每被扑于伧父[2]。倘四事修明，魄气坚实，何至于此。故形意之善养气者，非理无动，非义无往。自反而合理，虽万人无惴；自反而非义，虽褐夫亦惧。动必以理，趋必以义，而魂气自盛矣。举措动静，必合四事。三节不合弗措也，四梢不明弗措也，八字、九歌未熟练弗措也。人一已[3]百，人十己千，如是而谓魄气不强者，未之有也。然必有事焉，勿助勿忘。过用心则助，助则暴而气乱矣；不用心则忘，忘则荡而气散矣。果明此义，则内家要术毕尽乎斯，又岂独形意哉！

注 释

① 孟贲穿窬……懦夫不抗：孟贲，战国时大力士。卫国人，一说齐国人，与夏育、乌获齐名。相传他勇武有威严，怒时“发直目裂”，气势逼人，过路涉河者莫敢争先。夏育，战国时著名勇士，卫国人，籍贯、字号均不详。传说他能力举千钧。此句的意思：如果孟贲这样的勇士，成为打洞穿墙的小人，连一个儿童都能战胜他；如果夏育这样的勇士，成为盗贼，连一个最胆小怕事的人都能抵抗他。窬，音 yú。

② 伧父：晋南北朝时，南人讥北人粗鄙，蔑称之为“伧父”。后用以泛指粗俗、鄙贱之人，犹言村夫。伧，音 cāng。

③ 己：原文误作“已”，据文义当为“己”。

中编

意拳原理

拳以意名者，以意为诸拳之母，凡百运动，皆渊源于此也。夫心者，人之宰也，耳、目、口、鼻、四肢皆听其指挥。心之发动曰意，意之所向为拳，而五行循环，生克变化出焉。天地进化，以五行为始，以化生万物为终；而人之运动，亦以意为始，以形为终。故意拳不明，而形拳亦无由而成。意拳包五行连环二部，学者须三致意焉。(形拳即十二形法，另编第二册[①])

注释

① 第二册：指《岳氏意拳十二形精义》。

第一章　五行拳[1]

五行者，金、木、水、火、土也。内有五脏，外有五官，皆与五行相配。心属火，脾属土，肝属木，肺属金，肾属水，此五行之隐于内者；目通肝，鼻通肺，舌通心，耳通肾，人中通脾，此五行之著于外者。五行有相生之道焉：金生水，水生木，木生火，火生土，土生金；又有相克之义焉：金克木，木克土，土克水，水克火，火克金。五行见于《洪范》，而汉儒借之以解经，后人每讥其于义无取，而生克之理究不为不当也。拳之以是取名，用以坚实其内，整饬其外，取相生之道，以为平时之习练，取相克之义，以为对手之破解云耳，非必沾沾于古说也。夫拳以五行名者，以崩拳之形似箭，性属木；炮拳之形似炮，性属火；横拳之形似弹，性属土；劈拳之形似斧，性属金；钻拳之形似电，性属水故也。由相生之说论之，故横拳能生劈拳，劈拳能生钻拳，钻拳能生崩拳，崩拳能生炮拳，炮拳能生横拳也。万物生于土，故横拳能生各拳。由相克之说论之，故劈拳能克崩拳，崩拳能克横拳，横拳能克钻拳，钻拳能克炮拳，炮拳能克劈拳也。

注 释

① 五行拳：《岳氏意拳五行精义》中五行拳、连环拳的编写，参照了杜之堂编录的《五行连环拳谱合璧》，图例相同，但文字有差异。初学者，可以两相对照，揣摩其异同。

第一节 劈拳

劈拳属金，其形似斧，有劈物之意。五行之中，以土为主，盖土生万物，内包四德，准其循环之理，而土生金，此劈拳所以为五拳之首也。然金于五脏相肺，拳之顺逆，肺气之通塞，与有关焉。

一、路线

形意与诸拳不同者，前脚先进，后脚必紧随也。拳之用也，宜速进前脚，则便捷灵敏，必能取胜。券[1]之进也，宜猛跟后脚，则气催身往，必不可当。劈拳之路线，每三步为一组，前脚进为一，后脚进为二，既进之脚复进为三。如左[2]图（图 6）。

图 6　劈拳路线

二、开势

开势即三体势，其要领同第一编第五节[3]。（图 7）

图 7　开势图

三、起势

两拳紧握后收，而复前伸。后收时变阳，两肘抱肋，两拳间隔少许。前伸时，拳从口出，小指上翻，垂肘垂肩；同时，前足顺进，后拳随出，紧贴前肘，两眼须注视前拳。（图 8）

图 8　起势图

四、落势

后拳由肘前出，同时后足前进一大步，足手齐落。足落地如踏毒蛇，不肯稍纵，五指抓地，足心腾起。后足斜跟踏地时，力同。两手前推后挽，力务均，前手高齐心，后手在脐，而鼻手脚三者成一线，后肘紧靠肋部，如是则团结力大，屹如山岳矣。习练时，起落务要一气贯足，若波浪然，一波甫平，一波又起，然身体不可忽高忽低，否则气浮而力散矣。（图 9）

图 9　落势图

五、回身势

右手在前则左转身，左手在前则右转身。转时以两足根为轴，足尖微离地，两拳仰抱在脐。转毕急起急落，仍前足进为一，后足进为二，既进之脚复进为三。如左图（图 10）。

图10　回身势路线

［注意］劈拳由起而落，由落而起，为一圆形。此圆之周围，用力宜均，使处处皆到，不可有一毫之疏懈，手足齐落，肩胯相随，肘膝相合，是为至要。

注释

① 券：原文"券"字误，当作"拳"。

② 左：原书中图在文字之左。后文同。

③ 第一编第五节：指上编第一章第五节。

第二节　崩拳

崩拳属木，其形似箭，有射物之意。木于五脏相肝，故此拳顺则肝气舒，谬则肝气郁。学者倘于此而加以精研，最足以助精魄，强筋骨，且简捷而应用。前人恒以专此一拳而名家也。

一、路线

崩拳极简单，无起落势，而回身较他拳为繁，故以出势回身。分段论之，其练法，左腿永远在前，右腿跟进，故亦名左腿崩拳。如左图（图11）。

图11　崩拳路线

二、开势（即三体势）

由开势两掌变拳，前者顺[①]而后者阳，先进左足，右足随进；同时右拳伸出，左拳抽回，至两拳相交，右拳变顺，左拳变阳，故出拳如错[②]，打敌而且破敌，此形意拳之妙诀也。收拳与出拳平均用力，出入必由洞口[③]，紧贴两肋，如撕物然，两手互易，步法不可紊乱。（图 12）

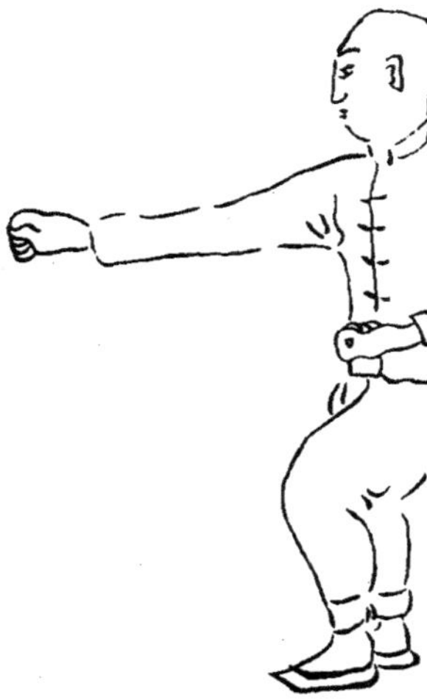

图 12　开势图

三、回身势

左足右横，同时将拳收回，从右向后转，右足横提，右拳钻出，脚手齐落，成剪子股形[④]（亦名狸猫倒上树），两拳变掌，由阳而阴，后掌在肋，前掌齐心。如左图（图 13、图 14）。

图 13　回身势图

图 14　回身线

四、收势

他拳径收，惟崩拳则于二次回身后打出，则右手在前，右腿后退一步，足横落，左腿复退一步，足顺落；腿退时两手保持原势，至左足落时，右手猛撤，左手猛出，名曰退步崩拳。路线如左图（图 15）。

图 15　收势路线

注 释

① 顺：立拳，拳眼朝上。

② 错：交错、摩擦。这里指两拳由立拳到阳拳之间的变化。

③ 洞口：指身体的中心。

④ 剪子股形：即剪子股式。

第三节　钻拳

钻拳属水，其形似电，有曲曲流行之意。水于五脏相肾，拳顺则肾气足，否则肾气虚。倘于此研究有得，足使阳气上升，阴气下降，化拙为巧，变滞为灵，而直劲出矣。

一、路线

亦以三步为一组，与劈拳同。（图 16）

二、起势及落势

由开势左掌翻阳，右掌握拳为阴，左腿前进，同时右拳仰抱胸前，眼注左手；速接落势，右腿进一大步，脚落拳钻，左掌覆拳，左脚斜跟，右脚仍顺，前拳齐鼻，后拳置脐，脚尖拳鼻成一直线。钻出之拳，时向里裹，小指上翻，不可牵动身体，以致歪斜力散。继续前进，其法同前。（图 17、图 18）

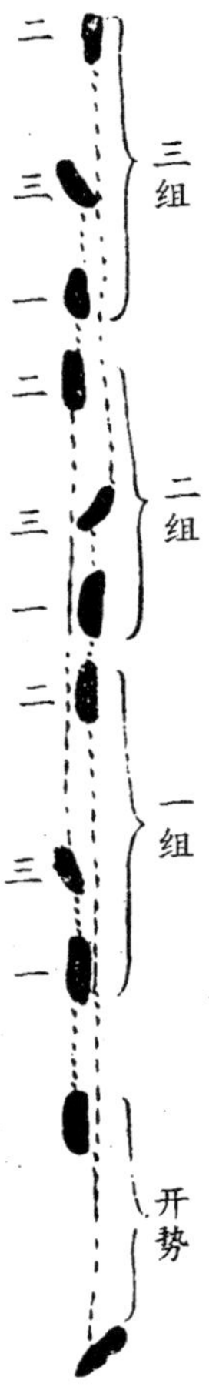

图 16　钻拳路线

图 17　起势图

图 18　落势图

三、回身势

右手在前则左转身，左手在前则右转身，后手自胁边反钻，以扣敌腕，急起急落，步法与劈拳同。（图 19）

图 19　回身势路线

第四节　炮拳

炮拳属火，其形似炮，水平威力甚大，有加农之性焉。火在五脏而相心，故拳顺则心中灵明，拳乖则心中朦昧甚矣，此拳之不可忽也。

一、路线

劈钻以三步为一组，崩拳以一步为一组，炮拳则以四步为一组，势皆斜出。如左图。（图 20）

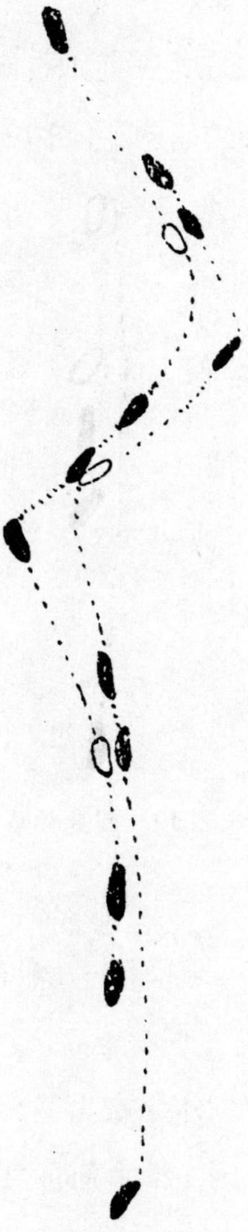

图20　炮拳路线

二、起势

左脚先进，右脚随之，右落左提，眼观一隅，掌变阳拳，右胁左

脐，有如丁字，莫亢莫卑，两肘夹肋，舌卷气垂。（图 21）

图 21　起势图

三、落势

右拳顺出，如石之投，左拳裹翻，置之眉头，足提者进，与右拳侔，左右互换，无用他求，试详路线，如龙如虬。（图 22）

图 22　落势图

四、回身势

左手出则左转身，右手出则右转身。转时后脚为轴，前脚回至后脚处落地，而后脚提起，仍进步斜行，如路线南北在转身前打东南者，转身后则打东北，四隅皆依此类推，左为一隅路线图。（图23）

图23　回身势路线

第五节　横拳

横拳属土，其形似弹，土在五脏相脾，其拳顺则脾胃和，拳乖则脾胃弱，而五脏亦必失和矣。盖土为五行之本，脾为五脏之本，根本不固，枝叶必枯，自然之理也。故横拳者，五行拳之主也，学者宜注意焉。

一、路线

横拳亦用斜势，其步数类劈钻，而非直线，其湾曲似炮拳，而步

数减。如左图。（图 24）

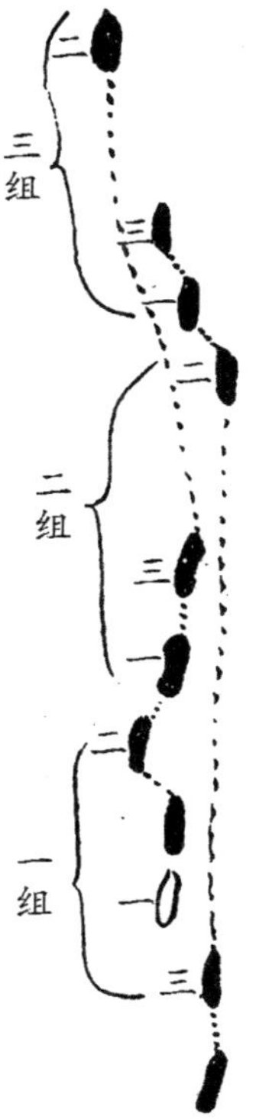

图 24　横拳路线

二、起势及落势

前脚提，后脚孤立，两掌变拳，前阳后阴。阳者如钻拳，裹肘垂肩，高于眉齐；阴者隐匿前肘之下，目须平视，此起势也。前脚猛进，后脚随跟；进步之际，前拳入，后拳出，入者变阴，出者变阳，出者拳钻而肘横，横者所以制敌，钻者所以攻敌，此落势也。（图 25、图 26）

图25　起势图

图26　落势图

三、回身势

右手出则右转身，左手出则左转身。转时以后脚为轴，前脚随身，从右（左）向后转。脚落地时，即成起势，急作落势，手法与落势同。如左图（图 27）。

图 27　回身势路线

第二章　五行生克

五行生克者，二人相对之拳也。其相生也，金生水，水生木，木生火，火生土，土生金，如是生生不已，变化无穷，即劈拳变钻拳，钻拳变崩拳，崩拳变炮拳，炮拳变横拳，横拳又变劈拳。临机应变，一在乎学者之熟练，与自已[①]之运用耳。其枏克也，金克木，木克土，土克水，水克火，火克金，即劈拳破崩拳，崩拳破横拳，横拳破钻拳，钻拳破炮拳，炮拳破劈拳。若两人对练时，甲生之，乙克之，乙生之，甲克之，循环不息，所以应用也。兹述其动作如左。

第一节　开势（即三体势）

设甲乙二人，取适当之距离，均用三体势站稳。（如左图）（图28）

图 28

第二节　动作

1. 甲以进步崩拳，一面压迫乙之左臂，一面攻击乙之腹部；乙即以左手托甲之右肘，同时左足随左手而起，复随右手而落，以崩拳还击之。（如左图）（图 29）

图 29

2. 甲复按乙之动作还之以崩拳，而乙则以左肘裹甲之左臂，急进右足，用右掌劈甲之左胸。(此金克木也)(图 30)

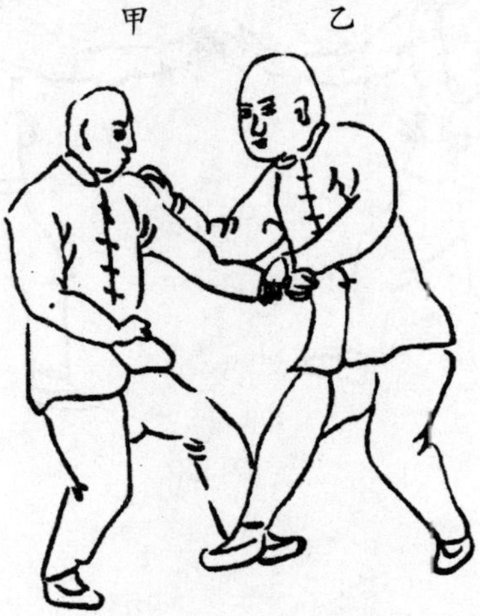

图 30

3. 甲急退左足[2]，同时利用乙之推力，以左臂架起乙之右掌，且以右拳攻击乙之腹部。(此火克金也)(图 31)

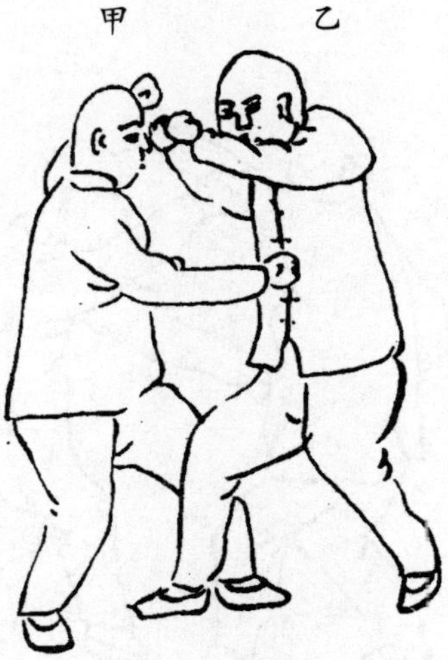

图 31

4. 乙以右手压迫甲之右拳，同时进左足[③]，钻出左拳，直击甲颏部。（此水克火也）（图 32）

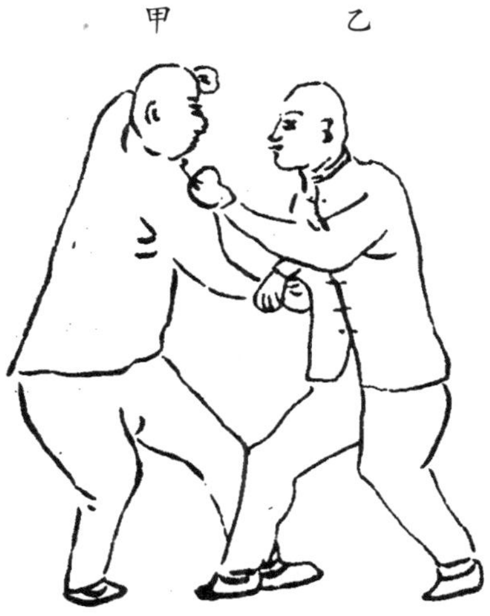

图 32

5. 甲以左拳横出，右足退一大步，左足随之，稍向后移。（此土克水也）（图 33）

图 33

6. 乙复用进步崩拳，甲稍退，以左掌压之，乙复用崩拳，而甲如乙之二动[④]以劈拳破之。以下成循环式，学者玩索而自得之，兹不复赘。（如左图）（图34）

图34

注 释

① 已：原文误作“已”，据文义当为“已”。

② 甲急退左足：图有误，图中甲左足未退回，与文字不符。保定本、山西本（即1919年张桐轩于山西国民师范学校任教时印行的《形意拳古谱》《拳术讲义》两本）皆如此。

③ 进左足：图有误，图中乙左足未进，与文字不符。保定本、山西本皆如此。

④ 二动：指本节第二条。

第三章　进退连环拳

连环拳者，五行合一之势也，分演之为五行，合演之为连环，以其势皆循环连贯，故以连环名之。然此拳以五行为母，五拳未习熟，不必学连环也；且既熟五拳，亦非习连环无以明变化之妙，而收应用之功。至其分合，总不外起钻落翻，阴阳动静，习者深心揣摩，自能领悟矣。

第一节　路线（图 35）

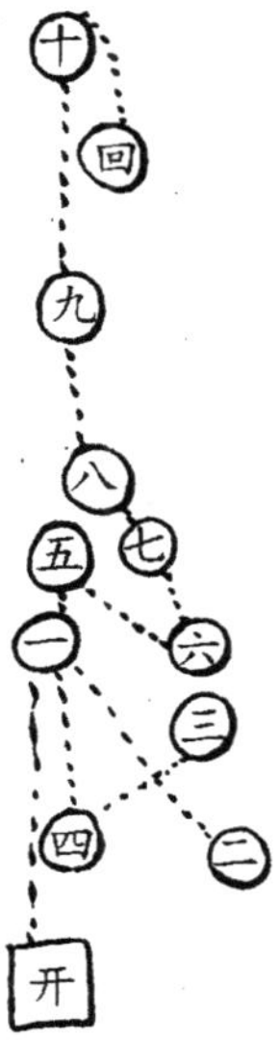

图 35　连环拳路线

第二节　开势

连环拳之开势，仍用三体势，其要领同第一编[①]第一章第五节。

注 释

① 第一编：即上编。

第三节　进步崩拳

由三体势，两手变拳，进左腿，右拳阳出，顺落齐心，左拳顺回，阳拳齐脐；同时右腿随进，胫对左踵，提肛，挺腰，垂肩，两腿稍绌（其要领与本编第一章第二节同）。如下图（图36）。

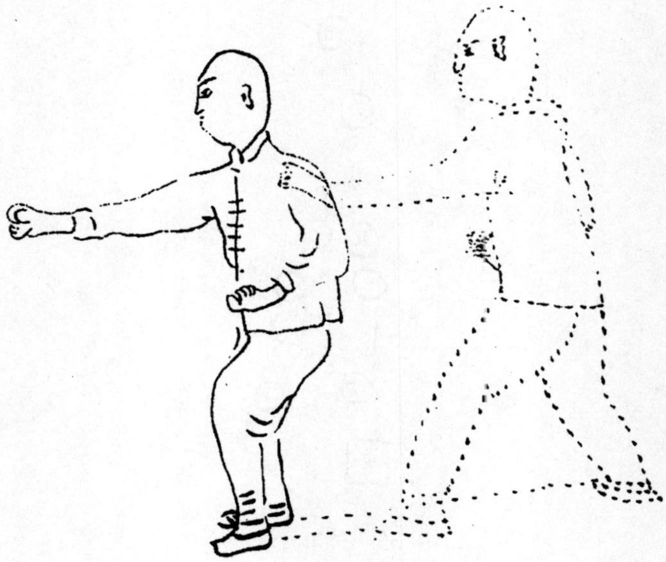

图36　进步崩拳图

第四节　退步崩拳[1]

右腿斜退一步，脚横落，左腿大退一步，脚直落，后脚尖直[2]前脚外胫骨；右腿退时，两臂静保原势，至左脚落时，右臂抱肋，猛撤齐脐，左臂力出齐心，两腿成剪形，故又名剪子步（其要领与崩拳收势同）。如下图（图37）。

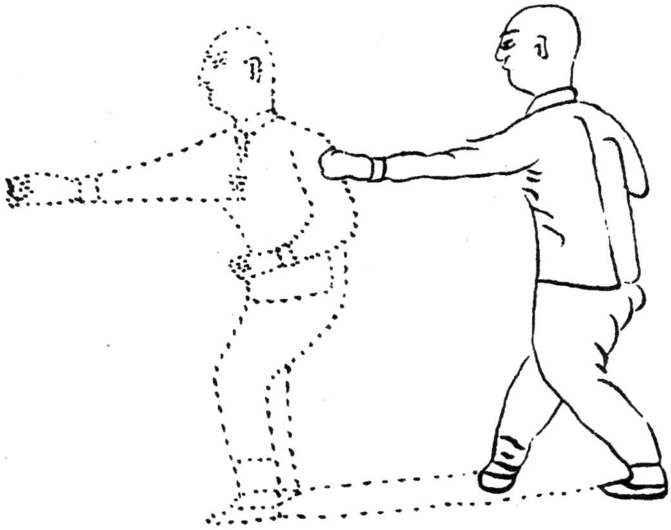

图37　退步崩拳图

注释

① 退步崩拳：杜本（即《五行连环拳谱合璧》）、保定本、山西本均为“退步横拳”。存疑。

② 直：原文误作“直”，据文义当为“对”。

第五节　顺步崩拳

右腿进绌，右拳阳出，顺落齐心，左拳顺回，阳落齐脐，左脚稍跟。如左图（图38）。

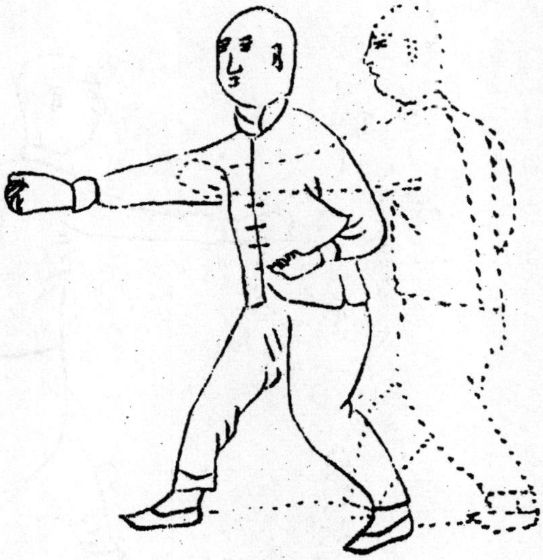

图38　顺步崩拳图

第六节　白鹅亮翅

右拳阳收齐脐，与左拳交叉，用力向下钻至裆，成十字，即以原势上起至额；同时左腿斜退，两拳又各绕半圈。绕时两肘向里包裹，其力不散。至裆左掌右拳力打，同时右腿撤，与左腿并拢，腿皆稍绌。如下图（图 39）。

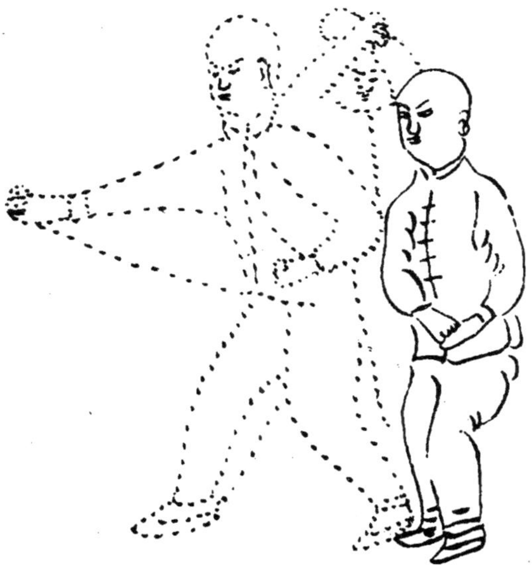

图 39　白鹅亮翅图

第七节　进步炮拳

右腿进绌，左拳出齐心，同时右拳翻上至额（其要领与炮拳同）。（图40）

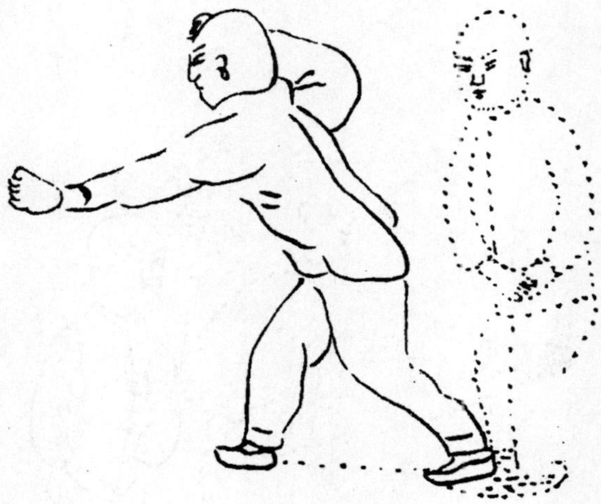

图40　进步炮拳图

第八节　退步钻拳

右掌横拦，左拳退至左胁，右腿大退，右掌下落，左拳由胸部钻出，左腿退与右脚并提。此四动，必须手脚相合，动作同时，两腿稍绌，两拳阳置脐部，左横右顶。如下图。（图 41）

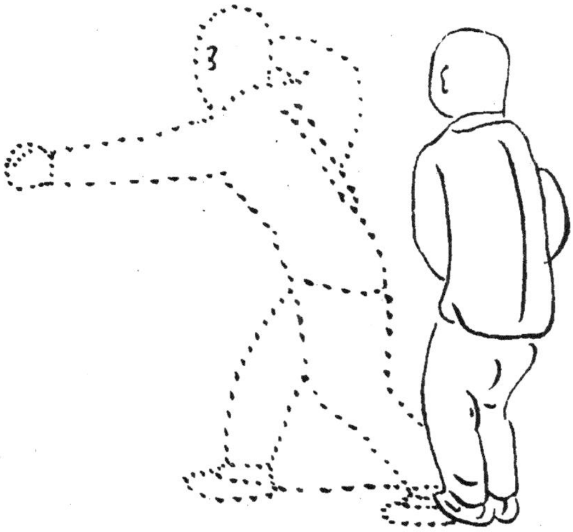

图 41　退步钻拳图

第九节　进步拨掌

左腿进，左掌外拨，右掌随左掌起落，但仍在脐部。其精神与劈拳同，右腿随进，两腿仍如前势，两眼视左掌。如下图（图 42）。

图 42　进步拨掌图

第十节　进步钻拳

左腿稍进，仍绌，左掌变拳，右拳钻出齐眉，小指上翻，左拳回撤，阳置胁，右腿稍跟，亦有如横拳作法者，然无论钻横，务以包裹严密为要，故又名包裹势。如左图（图 43）。

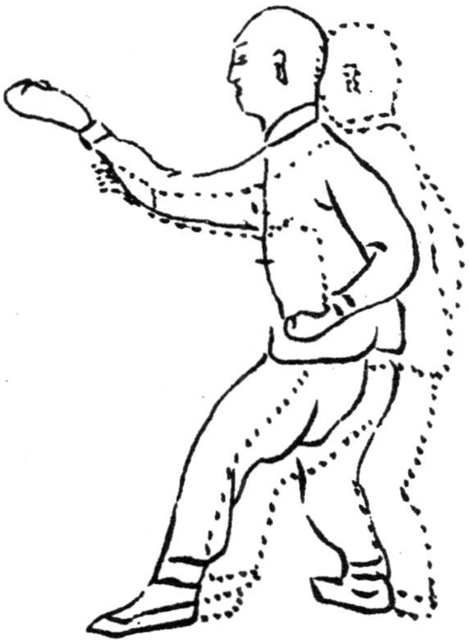

图 43　进步钻拳图

第十一节　拗步劈拳

由前势垫步稍进，复以右脚前进，而横落；同时左掌用力劈出，右掌覆挽，左腿稍跟，眼视前掌，俗称狸猫上树。如下图（图44）。

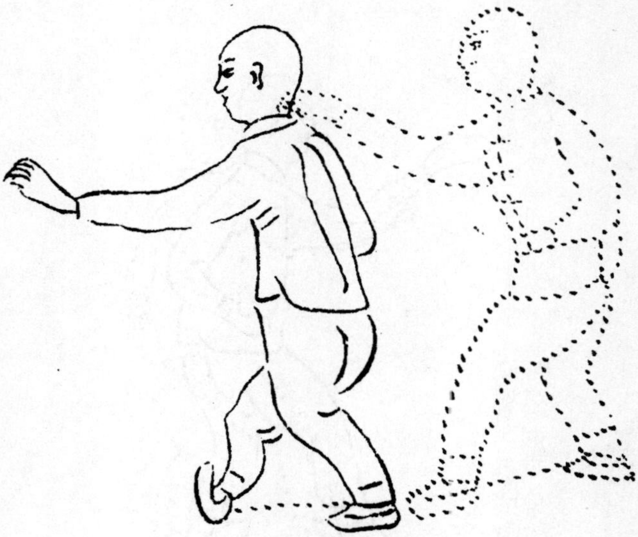

图44　拗步劈拳图

第十二节　进步崩拳

两掌变拳，右脚顺进，左腿大进，右拳阳出，顺落齐心，左拳顺回阳置脐，右腿随进，胫对左踵，提肛，挺腰，垂腹，两腿稍绌。如下图（图45）。

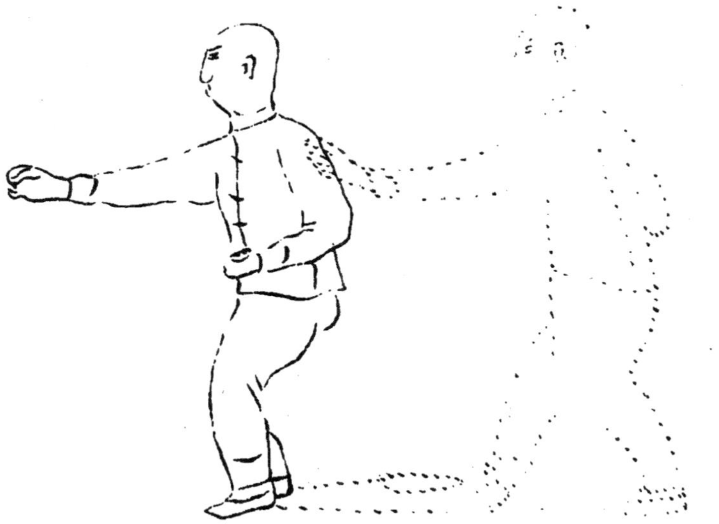

图45　进步崩拳图

第十三节　回身势

回身与本编第一章第二节崩拳回身势同一要领，如下图（图46）。

图46　回身势图

下编　绪论[1]

第一章　岳武穆九要论[2]

器，上而通乎道；技，精而入乎神。[3]惟得天下之至正，秉天下之真精者，乃能穷神而入妙，察微而阐幽。[4]形意之用，器也，技也；形意之体，道也，神也。[5]器、技，常人可习而至；道、神，大圣独得而明。[6]岳武穆精忠报国，至正至刚，其浩然之气，诚霈然充塞于天地之间，故形意之精，非武穆不能道其详。[7]然全谱散佚，不可得而见，而豪芒流落，只此九要论而已。[8]吾侪服膺形意，得以稍涉藩围，独赖此耳。[9]此论都九篇，理要而意精，词详而论辩。[10]学者有志，朝夕渐摹，而一芥之细，可以参天，滥觞之流，泛为江海。[11]九论虽约，未始不可通微，合莫造室升堂也。[12]

注释

① 绪论：言论。此处指岳氏意拳的相关论述。与现代意义的“绪论”不同。

② 岳武穆九要论：据考，“九要论”最早出现于1918年王俊臣、李剑秋校订的《武术研究社成绩录》中。1919年，张桐轩以《武术研究社成绩录》为蓝

本编辑《形意古拳谱》（山西国民师范学校教材），收录“九要论”，但文字有异。同年，李剑秋著《形意拳术》，称“九要论”为“岳武穆形意拳术要论”和“交手法”，书中交代为民国四年（1915 年）河南济源郑濂浦先生得自于其同乡原作杰家。其后相继问世的“九要论”有 1928 年凌善清《形意五行拳图说》等版本。1934 年董秀升《岳氏意拳五行精义》版本与山西国民师范学校教材同。

③ 器，上而通乎道；技，精而入乎神：器，具体的物质性的东西、形态，简言之就是器物层面。道，决定事物以何种方式存在、运行的抽象理论、原则和规律。技，指具体事物的运用，如练拳。本句大意：形而下的“器”，其最优化的存在形态，已经显露出道的统领作用；同属形而下的“技”，比如拳法，修炼纯熟后就让人感觉进入了神奇莫测的感知领域。

④ 惟得天下之至正……察微而阐幽：唯有取得天下最纯正、吸收了天下精华的东西（比如某种拳术），才能尽显它的超凡奇异，并使它进入一种玄妙难测的状态：道。道生神，而非器物生神。考察事物的微妙之处，推断、揭示出它背后隐藏的玄机妙理。

⑤ 形意之用……神也：形（如身骸、四肢）与意（心念）的动作，属于器与技的范畴；但形意的本体，却属于形而上的道、神。

⑥ 器、技……大圣独得而明：器、技的修炼，平常人通过学习就可以掌握，而道与神，则只有大圣之人才能明了并且用于实践。

⑦ 岳武穆精忠报国……非武穆不能道其详：至正，极其正大。至刚，极其刚强。同“至大至刚”，形容人的“浩然之气”极其广大坚强。语出《孟子·公孙丑上》：“敢问何谓浩然之气？曰：难言也。其为气也，至大至刚，以直养而无害，则塞于天地之间。”“浩然之气”指浩大刚正的精神。霈然，形容雨盛大的样子。本句大意：岳飞忠君死国，道德人格至刚至正，他胸中的浩然正气以不可阻挡的磅礴气势充满天地之间，因此，形意拳术的精华要妙，非岳飞不

能详尽说明、教诲。

⑧ 然全谱散佚……只此九要论而已：豪芒，豪毛的尖端，比喻极其细微，引申为精华、要点。本句大意：但是，完整的拳谱已经散失，无法看观，然而流落出来、残存下来的片段、碎散精华，只剩这“九要论”了。

⑨ 吾侪服膺形意……独赖此耳：侪，音 chái，辈，类。膺，音 yīng，胸。服膺，（道理、格言等）牢牢记在心里；衷心信服。藩，音 fān，篱笆。圉，音 yǔ，同“圄”，禁，监狱。藩圉，引申为边界、屏障，也比喻界域、境界，或用来指某一范畴。本句大意：我们衷心热爱形意拳，进入形意拳术的领域，就只有仰仗这残存的“九要论”了。

⑩ 此论都九篇……词详而论辩：“九要论”共九篇，道理简要，含义却精深，语句真切具体，论述雄辩高蹈。

⑪ 学者有志……泛为江海：芥，音 jiè，小草。滥，浮起，浮现。觞，音 shāng，古代酒具。滥觞，比喻事物的起源、发端。本句大意：想学它的人如果有志向，早晚揣摩，层层升进，（那么你会看到、体验到）；这里面像一粒芥籽那样微小的东西，都可（由此）推断出天的高大（一叶知秋之意）；江河源头的涓涓细流，渐渐都要泛滥成大江大河而汇归大海。

⑫ 九论虽约……合莫造室升堂也：未始，犹没有，未必。合，同“何”。合莫，为什么不。本句大意：“九论”虽然言辞简洁，篇幅短小，却未尝不可由此通达微妙之境，（既然如此，我们）为什么不由此而登堂入室（得到岳飞的真传）呢！

第一节　一要论

散之必有其统，分之必有其合。①故天壤间众类群俦纷纷者，各有所属；千汇万品攘攘者，自有其原。②盖一本可散万殊，而万殊咸归一本，乃事有必然者；且武事之论，亦甚繁矣。[3]要之，诡变奇化，无往非势，即无往非气，势虽不类，而气归于一。[4]夫所谓一者，从首至足，内之有五脏筋骨，外之肌肉皮肤、五官百骸，连属胶聚而一贯者也。[5]击之不离，牵之不散，上思动而下为随，下思动而上为领，上下动而中节攻，中节动而上下和，内外相连，前后相需，所谓一贯，乃斯之谓，而要非强致袭为也。[6]适时为静，寂然湛然，居其所而稳如山岳；直时为动，如雷如崩出也，忽而疾如闪电。[7]且宜无不静，表里上下，全无参差牵挂之累；宜无不动，左右前后，概无遁倍犹豫之部。[8]洵若水之就下，沛然莫御。[9]炮之内发，疾不掩耳。[10]无劳审度，无烦酌辨，不期然而然，莫之致而致，是岂无故而云？然乃气以日积而见益，功以久练而方成。[11]揆圣门一贯之传，必俟多闻强识之后，豁然之境，不废钻仰前后之功。[12]故事无难易，功惟自尽，不可躐等，不可急遽，历阶以升，循序而进，而后官骸肢节自能通贯，上下表里不难联结。[13]庶乎散者统之，分者合之，四体百骸，终归一气而已。[14]

注 释

① 散之必有其统，分之必有其合：统，事物的连续关系，总括。本句大意：天下万物，人间万事，果必有因，因必依缘。人、事、物，四散开去，一定有一个统领因素（使得它们这样），分离之后，一定会有和合（也是有一个主宰性的动因让它们会这样）。

② 故天壤间众类群俦纷纷者……自有其原：俦，音 chóu，同类，辈。群俦，指许多人。攘攘，形容纷乱拥挤的样子。本句大意：因此（可以推断、研判），天地间万事万物接连不断地、乱哄哄地向一起集聚，其实它们各自都有所

统属；千万个（种）具体事物看似混乱不堪，其实自有它的缘由。

③ 盖一本可散万殊……亦甚繁矣：殊，异，不同。咸，全，都。本句大意：大概是这样，一种根源性、基础性的东西（形而上），可以分解成千千万万种不同形式、形态，而这千千万万种不同形式、形态，最后都可以归聚到前述那种根源性、基础性的东西下面（或里面），这就是事物具有一定会这样发展的原因和必然性。再说到武术（拳术）之类的事，也够繁乱琐杂了。

④ 要之……而气归于一：但它的紧要之处（却在于）：尽管呈现千变万化、诡异神奇、明暗交缠、深浅难测的种种状况，但抓住最关键的线索就可观察到这种种状况其实不过是一种“势”（趋势、态势）的呈现、运动，实际上也就是一种根本原理。趋势、形态虽然各有不同，却都受制于那个根本原理，就是“一”（气聚而为“一”，“一”散而为气），就是“道”。

⑤ 夫所谓一者……连属胶聚而一贯者也：所说的这个“一”（是什么呢?），从头到脚（构成全身），里面有五脏六腑、筋脉、骨髓，外面有肌肉、皮肤、五官（眼、耳、鼻、舌、身）、百骸（头发、四肢、骨节等部位），它们全都相互关联，不可分割，（从而）形成一个有机的统一体，而“一”，也就是大脑神经中枢系统（也可称“心”）指挥、控制着这个有机统一体的运动（比如动、静、进、退等）。

⑥ 击之不离……而要非强致袭为也：“攻”与“和”，词异，义同，均为配合义。本句大意：这种指挥、控制能力（如视觉、听觉等官能的反应、心理的稳定、意识认知的清醒等），在身体受到敌方直接攻击时，不会降低；在受到外敌、外力的引诱、谋诈等复杂因素作用时，也不会减弱（“离”指慌乱，“散”指犹豫）。上面（心、大脑）想动了，下面（手、脚、身等部分）就自然而然跟随着动起来；手脚想动的时候，也必然要服从于心意的指令（力出于拳，拳制于意，意出动拳，拳动力随，也就是意到拳到力到）；上节、下节动了，中节要自然而然紧密配合到位；中节动了，那上节、下节就自然而然地予以配合、

助力，（这样就）里外相互联系，前后相互照应，上下相互支援，所说用“一”来贯穿、控制整个身体以及它的各个部位，指的就是这种情况、状态。它的要点在于：不是（要）盲目地、勉强地、无准备地进入搏击（而是主动、自然而动、谋定而动，在遭遇突袭的情况下也是如此）。

⑦ 适时为静……忽而疾如闪电：（拳术、拳法、拳技修炼到如此高境界时，即近于得道——拳道，自然就可以做到）当需要静止时，安闲舒张（但反应能力并无丝毫衰减），站或坐在那里像大山一样安稳；当需要动时，则如惊雷忽炸，爆发力瞬时迸出，快如闪电，目不及睹，意不及防。

⑧ 且宜无不静……概无遁倍犹豫之部：倍：通“背”，违反，违背。本句大意：并且，（人的身体锻炼成一个有机统一的整体后）需要静下来时，就应该也能够全部都静下来，全身上下里外没有哪个部分会程度不一、速度不齐地拖累全体；需要动起来时，身体的所有组成部分都会自然而然地跟随着动起来，前后、左右、上下，大概都不会有逃避、违背、犹豫不决的部分。

⑨ 洵若水之就下，沛然莫御：洵，实在。本句大意：（这就形成了一个有机联动的统一体）实在像水流低凹那样自然合道，气势磅礴，没有任何力量可以阻挡。

⑩ 炮之内发，疾不掩耳：大炮（喻打击力、攻击力）从隐蔽处发射出，像平地炸雷，（让你）来不及捂住耳朵。

⑪ 无劳审度……功以久练而方成：（这个道理，你）不用费力地审视、揣摩，不用烦心地去斟酌、辨别、辨识（就会明白），不想这样，它却就这样了；不盼它到来，它却自己到来了，（这话、这个道理）难道是无缘无故说出来的吗？这实际上是“气”将身体结成一个有机整体，然后受制于某种规律、原则，接受它的指挥、调度的状态，经过不断的积累修为而一天比一天增强，（这门功夫）需要长久练习才能达到成功。

⑫ 揆圣门一贯之传……不废钻仰前后之功：揆，音 kuí，揣测。本句大意：

要想度测圣人（岳飞）门派里的传授，一定是要等到听得多了、看得广了、理解得深了以后，终于洞察了、明白了、准确而深刻领悟了圣人这种拳术的奥妙，（才）不会辜负自己的崇敬和努力思索、探究的功夫。

⑬ 故事无难易……上下表里不难联结：躐，音 liè，超越等级，不按次序。遽，音 jù，急，仓促。本句大意：因此，事情（比如学拳）没有什么难和易，成功（练好拳）只在于自己尽了全力；（修炼过程中）不要超越功法的层级（要按要求一层一层、一级一级、循序渐进地炼），不要急于求成，要一个台阶一个台阶地上，按规定顺序练习，这样做了以后，身体的各个部分自然就能够相连通、互相配合，身体上下、内外各部分不难有机联结而成为一个统一整体。

⑭ 庶乎散者统之……终归一气而已：庶，差不多，近于。本句大意：这差不多就做到了：身体的各个组成部分连接、贯通、统一起来；不听统一指挥的（比如大脑命令手脚并动，而手动脚不动等情况）就把它们整合到统一体中。（总之）五官、手脚、腰胯、五脏六腑、筋骨、皮肤、肌肉等身体的各个组成部分，最后都要整合为一个受某规律、原则指挥控制的有机统一整体罢了。

第二节　二要论

论捶[①]，而必兼论气[②]。夫气主于一，实分为二。所谓二者，即呼吸也。呼吸即阴阳也。阴阳即清浊也。捶不能无动静；气不能无呼吸。吸则阴，呼则阳；静者阴，动者阳。上升为阳，下降为阴。盖阳气上升而为阳，气下降而为阴[③]；阴气下行而为阴，阴气上行而为阳。此阴阳之分也。何谓清浊？升而上者为清，降而下者为浊。清气上升，浊气下降。清者为阳，浊者为阴。要之，阳以滋阴，阴以滋阳，统言为气，分言为阴阳。气不能无阴阳，即人不能无动静，口[④]不能无呼吸，鼻[5]不能无出入，乃对待循环者。然则气分为二，实主于一，学贵神通，慎勿胶执[6]。

注 释

① 捶：击打，拳击，包括掌击、腿踢等技击，在此指拳术。

② 气：本节中的“气”指天地阴阳精华之气，也指五谷之气，武术中特指这些吸入的气经五脏六腑沿经络循环全身，最后在丹田（脐下）凝聚成“真气”“元气”，再随着人的举止动作引导至各个部位，如头发、手指、肘部等，已非常人的呼吸之气了。

③ 气下降而为阴：原文误作“气下降而为阴”，据保定本当为“阳气下降而为阴”。

④ 口：口为地户，主呼气。

⑤ 鼻：鼻为天门，主吸气。

⑥ 胶执：固执；坚持。指认死理，不知变通。

第三节　三要论

夫气本诸身，而身之节无定处。三节者，上中下也。身则头为上节，身为中节，腿为下节；头则天庭[1]为上节，鼻为中节，海底[2]为下节；中节则胸为上节，腹为中节，丹田为下节；下节则足为稍[3]节，膝为中节，胯为根节；肱[4]则手为梢节，肘为中节，肩为根节；手则指为梢节，掌为中节，掌根为根节；足例是。故自顶至足，莫不各有三节也。要之，若无三节之所，即无着意之处。盖上节不明[5]，无依无宗；中节不明，浑身是空；下节不明，动辄[6]跌倾。顾可忽[7]乎哉。故气有所发，则梢节动，中节随，根节催[8]。然此乃按节分言者，若合而言之，则上自头顶，下至足底，四体百骸，总为一节，夫何三节之有，又何各有三节之足云？

注释

① 天庭：额。

② 海底：颏。

③ 稍："稍"同"梢"。后同。

④ 肱：手臂。

⑤ 明：指上节与中节、下节不能连贯。

⑥ 辄：音 zhé，总是，就。

⑦ 忽：轻视。

⑧ 催：送力，助力。

第四节　四要论[1]

试于论身、论气之外，而进论夫梢者焉。夫梢者，身之余绪[2]也。言身者初不及此，言气者亦属罕论。捶以内而外发，气由身而达梢，故气之用，不本诸身[3]，则虚而不实，不形诸梢，则实而仍虚。梢亦乌可不讲。然此特身之梢耳，而犹未及乎气之梢也。四梢为何？发其一也。夫发之所系，不列于五行，无关乎四体，似不足立论，然发为血之梢，血为气之海，纵不必本论诸发以论气，要不能离乎血而生，气不离乎血，即不得不兼及乎发，发欲冲冠，血梢定矣。抑舌为肉梢，而肉为气之囊，气不能形诸肉之梢[4]，即无以充其气之量，故必舌欲催齿[5]，而后肉梢足矣。至于骨梢者，齿也。筋梢者，指甲也。气生于骨，而联于筋，不及乎齿即未及乎筋之梢，而欲足乎尔者，要非齿欲断筋、甲欲透骨不能也。果能如此，则四梢足矣。四梢足，而气自足矣。岂复有虚而不实，实而仍虚者乎?

注 释

① 本节为“四要论”，所说导引“气”的运行，是武术（而非中医、道德家的）的气功功法。重点介绍要把体内之气引导至身体的“四梢”：肉皮表层、头发、牙齿、指甲，所谓意到、气到、力到，增强击打力度。

② 余绪：边际，末梢。

③ 不本诸身：不以身为本。

④ 形诸肉之梢：在肉皮表层显现出来。

⑤ 舌欲催齿：舌有气，齿便有威。

第五节 五要论

拳者，即捶以言势，即势以言气。[1]人得五脏以成形，即由五脏而生气。五脏者，心、肝、脾、肺、肾，乃性之源、气之本也。心为火而象炎上，肝为木而形曲直[2]，脾为土而势乃敦厚，肺为金而有从革之能，肾为水而有润下之功，此乃五脏之义。而有准之于气者，皆各有所配合焉，乃论武事所不可离者。其在内也，胸位肺，乃五脏之华，故肺动而诸脏不能静；两乳之中位心，而护以肺，盖心居肺之下、胃之上，心为君火，心动而相火无不奉合焉；两胁之间，左为肝，右为脾；背脊骨十四节，皆为肾位，分五脏而总系于脊，脊通身骨髓，而腰为两肾之本位，故肾为先天第一，尤为诸脏之原。故肾水足而金、木、水、火、土咸有生机。然五脏之存于内者，虽各有定位，而机能又各具于周身：领、顶、脑、骨、背皆肾也，两耳亦为肾；两唇两腮皆脾也；两髮[③]则为肺。天庭为六阳[④]之首，而萃五脏之精华，实头面之主脑，不啻[⑤]为一身之座督[⑥]矣；印堂者阳明[⑦]胃气之冲，天庭性起，机由此达，生发之气，由肾而达于六阳，实为天庭之枢机也；两目皆为肝，细绎之上包[⑧]为脾，下包为胃，大角为心经，小角为小肠，白则为肺，黑则为肝，瞳则为肾，实为五脏精华所聚，而不得专谓之肝也；鼻孔为肺；两颐为肾；耳门之前为胆经，耳后之高骨亦肾也；鼻为中央之土，万物资生[⑨]之源，实为中气之主也；人中乃血气之会，上冲印堂达于天庭，而为至要之所，两唇之下为承浆，承浆之下为地阁，上与天庭相应，亦肾位也。领顶、颈项者，五脏之导途，气血之总会，前为食气出入之道，后为肾气升降之途，肝气由之而左旋，脾气由之而右旋，其系更重，而为周身之要领。两乳为肝，肩窝为肺，两肘为肾，四肢为脾，两肩膊皆为脾，而十指则为心肝脾肺肾，膝与胫皆肾也。两脚根[⑩]为肾之要，涌泉为肾穴。大约身之各部，突者为心[⑪]，陷者为肺[⑫]，骨之露处皆为肾，筋之连处皆为肝，肉之厚处皆为脾。象其意，则心如猛虎，肝为箭，脾气暴发似雷电，肺经翕张性空灵，肾具伸缩动如风。其用为经[⑬]，制经为意，临敌应变，不识不知，手足所至，若有神会，洵非笔墨所能预述者也。至于生克治化[14]，虽有他编，而究其要领，自有统会，五行[15]百体[16]，总为一元，四体[17]三心[18]，合为一气，奚[19]必断断[20]于一经一络，节节而为之哉?

注 释

① 即捶以言势，即势以言气：击打就是一种势的表现，势就是气的运行。

② 肝为木而形曲直：肝，五行中属木，其功能可作用于眼。击打肝部，眼就会受损；击打眼，肝就会受伤。其余内脏与体外各器官、部位也是如此。修炼增强肝的功能，眼就明亮，反应就快，功能也随之增强。

③ 髮：原文“髮”误，据文意当作“鬓”。

④ 六阳：“五脏”为阴性，“六腑”为阳性，故称“六阳”。

⑤ 啻：音 chì，不异于。

⑥ 座督：主座。

⑦ 阳明：指体内一种阳性经脉、络脉系统，相互缠联、作用，难以译释，只能体认。

⑧ 上包：即“上胞”“上睑”，人体部位名。其上界为眉，下界为上睑之眼弦。

⑨ 资生：赖以生长；赖以为生。

⑩ 根：古同“跟”。后不另注。

⑪ 为心：与心相联。

⑫ 为肺：与肺相关。

⑬ 经：纲领。

⑭ 生克治化：相生、相克、相合、相折。

⑮ 五行：指四肢身干。

⑯ 百体：指所有部位。

⑰ 四体：指四肢。

⑱ 三心：指手心、脚心、脑顶心。

⑲ 奚：何。

⑳ 断断：拘泥。

第六节　六要论

心与意合，意与气合，气与力合，内三合也①；手与足合，肘与膝合，肩与胯合，外三合也。此为六合。左手与右足相合，左肘与右膝相合，左肩与右胯相合，右之与左亦然。以及头与手合，手与身合，身与步合，孰非外合？心与眼合，肝与筋合，脾与肉合，肺与身合，肾与骨合，孰非内合？岂但六合而已耶？然此特分而言之也，总之一动而无不动，一合而无不合，五行百骸悉在其中矣。

注 释

① 心与意合……内三合也：心，是已动未动、未动已动之“心”，即随时准备对外来刺激做出适宜反应的心。意，是由心中产生出来的认知、判断、决策。气，是随心意动静而即时跟随而行的、有具体指向性的意志元素，是一种无形的攻击力。力，是肌肉、血脉、精神合成的一种能量。以上“心、意、气、力”四合一，即武术家的拳击过程。另外，“内三合”“外三合”是从不同层面、不同角度来说的，其实无所谓内合、外合，因为它们都是由一个统一的有机整体发挥作用的，都只是“一合”，“一合”包括“万合”，一合而无不合，无不合而一合。

第七节 七要论

头为六阳之首，而为周身之主，五官百骸，莫不惟首是瞻，故身动头不可不进也；手为先行，根基在膊，膊不进，则手却而不前矣，故膊贵于进也；气聚中脘，机关在腰，腰不进则气馁而不实矣，故腰亦贵于进也；意贯周身，运动在步。步不进而意则瞠然[①]无能为矣，故步尤贵于进也。以及上左必须进右，上右必须进左，其为七进。孰非为易于着力者哉？要之，未及其进，合周身而毫无关动之意。一言其进，统全体而俱无抽扯游移[②]之形。

注释

① 瞠然：惊视的样子。瞠，音 chēng。

② 抽扯游移：反应慢、乱、疑、弱。

第八节 八要论

身法为何？纵横、高低、进退、反侧而已。[①]纵则放其势，一往而不返；横则裹其力，开括而莫阻；高则扬其身，而有增长之意；低则仰其身，而有扑捉之形；当进则进，弹其身而勇往直冲；当退则退，领其气而回转伏敛；至于反身顾后，后即前也，侧顾左右，左右岂敢当哉？而要非拘拘焉为之也。[②]察乎敌之强弱，运用吾之机关，有忽纵而忽横，因势而变迁，不可一概而推；有忽高而忽低，高低随时以转移，不可执格而论[③]。时而宜进，故不可退而馁其气；时而宜退，即当以退而鼓其进，是进固进也，即退而亦实赖以进[④]。若反身顾后，而后亦不觉其为后；侧顾左右，而左右亦不觉其为左右矣[⑤]。总之，机关在眼，变通在心，而握其要者则本诸身，身而进，则四体不令而行矣；身而却，则百骸莫不冥然而退矣[⑥]。身法顾可置而不论哉[⑦]。

注 释

① 身法为何？纵横、高低、进退、反侧而已：身法是什么？就是纵向、横向，升高、降低，前进、后退，反向、侧转。

② 纵则放其势……而要非拘拘焉为之也：直面敌人攻击时，要爆发出全部能量（动能、冲击力），这种冲击攻势一旦发出就无法收回（返）。横向击打时，一定要能控制其力度（的弱强、大小，因为横向击打由于自身与敌手的角度差，比纵向打击要弱），出击和回缩要灵活自制。抬高身位，可增加打击力度和气势。放低身位，下低上仰，在积累力势后一跃而起，主动近身搏敌。与敌对搏，该前进时就要前进，并且要像被弹簧弹射出一样，有迅雷不及掩耳之势；应该后退避敌锋芒时就要后撤，但是要在有充分准备的情况下敛气收身，并随时警觉以备敌袭。至于在具体搏击过程中，需要回身、转体，也要牢记并实践，我自己面向前，前是前头；我一旦面向后，这个“后”也就变成了“前”；左右转侧也一样，我正身面向之处就是“前”（总有准备），因此，无后、无左、无右，都是“前”（敌人所在处）。具体搏击过程中，不但要将正身面向之处视为“前”，身后背向之处也要视为“前”。总之，（搏击过程中攻防手段运用的）要点在于，不要拘泥地做（而要知变、制变、适变，随时灵活调整攻防的力度、速度、角度及其他维度，以应对搏斗过程中瞬息万变的形势）。

③ 察乎敌之强弱……不可执格而论：观察、分析、了解敌人实力的强弱，充分利用自己的智略、胆勇，以及对搏击最高原则的深刻理解、娴熟掌握等优势，居中执权，灵活机动，与敌周旋。（比如）我突然做出纵向攻击敌人正面的趋势，实际却攻击了他的侧面（让敌人防不胜防），这些技法，都是随形势的变化而变化，因地制宜，因时制宜，因势制宜，没有一定之规，不可以把一些技法作为死教条，不分时机、不分对象地照搬到底，一点不知变通。（在具体搏击过程中），有时候我需要抬高身位，那就抬高身位；有时候我做出抬高身位的样子，结果却是压低了身位（让敌人误判，摸不着头脑，穷于应付），身位的高低、倾仰、侧内等要做到根据不同形势而灵活自如地转换，不可把某种技法当作死教条看待。

④ 时而宜进……即退而亦实赖以进：有时，形势适宜你出击，那你就不要（不许）撤步退身、犹豫不决，因为这样会耗散、减弱你攻击的力度和气势。有时，形势需要你由攻转防，由进变退，那你就应该有准备、有策略地后退以积累力势，伺机而攻。进是进，退也是进，退是为了更好地进。

⑤ 若反身顾后……而左右亦不觉其为左右矣：当你回身防后、攻后，那么，这个“后”就自然而然不是“后”了（而是前）；身体左转、右转时，左右也就自然而然不是左右了（也是前，即你攻防的目标）。

⑥ 总之……则百骸莫不冥然而退矣：总起来说，拳术技击的关键、枢要在于眼（感觉、感知、观察到目标对象及周围环境不断变化的形态、趋势，察知敌方攻击的方向、角度、速度、力度），应变、适变、制变的能力在于心意（即大脑神经中枢）。掌握了拳法奥妙、技击法则的拳手，是要将这种奥妙、法则贯彻地运用于全身，使它成为一个被这种奥妙、法则控制的有机统一整体。如此，身躯要向前进击，那么双手、双足及其他组成部分，不用给它们下指令，它们就会自然而然跟随、配合着身躯行动；身躯需要退的时候，那么身体的所有组成部分就都会自然而然跟随、配合着退下来。

⑦ 身法顾可置而不论哉：（说了以上这些），拳术中的身法技巧你还（认为其不重要）放弃到一边，不予讨论吗？

第九节　九要论

身之动也以步。步乃一身之根基，而运动之枢纽[①]也。以故应战对敌，本诸身，所以为身底柱[②]者，莫非步；随机应变在于手，而所以为手之转移者，亦在步；进退反侧，非步何以作鼓荡之机；抑扬伸缩[③]，非步无以操变化之妙。所谓机关者在眼，变化者在心，而所以转弯抹角、千变万化，而不至于窘迫者何？莫非步为之司命[④]耶。而要非勉强以致之也。动作出于无心，鼓舞出于不觉，身欲动而步为之周旋，手将动而步亦为之催逼，不期然而然，莫之驱而驱，所谓上欲动而下自随也。且步分前后，有定位者步也，然而无定位者亦为步。如前步之进，后步之随，前后自有定位，若以前步作后，后步作前，更以前步作后之前步，后步作前之后步，则前后亦自然无定位矣。总之，拳乃论势，而握要者为步。活与不活，固在于步；灵与不灵，亦在于步。步之为用大矣哉。

注 释

① 枢纽：指主门户开合之枢与提系器物之纽。比喻事物的关键或相互联系的中心环节。

② 底柱：也作“砥柱”，山名，在三门峡黄河急流中，其形如柱。喻中坚人物或力量所起的支柱作用。

③ 抑扬俾缩：原文“抑扬俾缩”误，据保定本当为“抑扬伸缩”。抑扬伸缩，抑制、扬长、伸展、收缩。

④ 司命：主宰、主掌。

第二章　练习

武术以实验为主，盖其奥妙，必切实练习方能有成，而其理论，亦不过如航行之指南耳。世间致用之学，在熟练，不在精巧，在实行，不在冥想，即圣门精一之传，犹贵一心守约，况形意为运动之一道，绝非理想之所能得，故练习尚焉，然练习亦必有道。兹分节详论于左。

第一节　练习之注意

练习之注意约分三期：一曰练习前之注意；二曰练习中之注意；三曰练习后之注意。练习之前，勿饥勿饱，勿构思，勿忿怒，盖饥则无力，饱则伤胃，构思则脑易昏，忿怒则气暴而易乱也。练习之中，勿谈笑，勿唾涎[①]，勿出虚恭[②]，盖谈笑则神散而不凝，唾涎则喉干而炎升，出虚恭则气泄而力散矣。练习之后，勿饮食，勿排泄，勿卧，盖饮食而易滞，排泄则气溃，卧则气抑而不疏矣。凡此三者，当熟记而不可忽也。

注释

① 唾涎：唾液，口水。涎，音xián。

② 虚恭：屁的雅称。

第二节　练习之法则

练习约有二法：一曰两段之练习也。拳之每组，分为二段。第一段宜柔和、徐缓，所以疏展筋骨，诱导气力也；第二段宜刚猛迅速，所以发扬内劲，适于应用也。二曰三段之练习也。前段宜柔缓，中段宜刚猛，后段宜平和。如行文然，首段提纲挈领[①]，包罗全局，笔势缓而柔，宽而博；中间独伸己见，议论纵横，如长江大河，一泻千里；后段结束上文，和平委宛。此文家之妙，而武术之练习亦何独不然。以上二法精粗各自不同，前者粗，适于初学，后者精，适于久练，然无论何法，必以动作迅速而间隔判然为宜。

注释

① 提纲挈领：纲，渔网的总绳；挈，通挈，提起。抓住渔网的总绳，提住衣服的领子。比喻抓住要领，简明扼要。

第三节　专练[①]

习拳术者，对已[②]者十八，对人者十二。故曰：壮身者其常，胜敌者其暂也。专言壮身，无论何拳，均可习练。至于胜敌，则形意专擅其长；且胜敌之道贵精不贵多，胜一人用此势，胜人人亦可用此势。务博而荒，求繁而乱。身体无切确之磨练，应敌无纯熟之技艺，此两失也。人情之所乐观而致意者，在浓不在澹，在博不在约，在急不在缓。孤干无枝之乔松，固不若鲜花翠柳之快意，迨经酷霜冒严雪，孰为后凋？可断言矣。形意多单势，平时练习之正则也。

注 释

① 专练：《武术研究社成绩录》注有“专练、久练二篇乃广宗杜之堂所作，今将原文录下，以资参。”

② 已：原文误作“已”，据文义当为“已”。

第四节　久练

深无止境，广无涯涘者，惟拳术为然。得其浅者一人敌，得其最深者何尝不可万人敌也。习拳固宜虚心，而浅尝辄止，忽作忽辍，亦不可望其深造。且形意拳尤不易为，数月已自可观，十年亦非绝艺。浅者视之，容有后不如前，久不如暂者。盖熟化之至，内力充，外力缩也，非多历年所，熟复而无间断，未足以臻此极境；臻极境者，一由于虚心，一由于恒性也。论者恒谓拳术多私，每有请而不告、告而不尽者，夫岂其然！其心易满者，或轻试而招祸，或好争而欺人，自亡之媒也。其性无常者，一知半解，自视已足，朝兴暮止，自谓已成，至于试之无效，不曰我师欺我，则曰所习己误。不惟传授失人，而拳术亦为一世所轻矣，岂私也哉。

岳氏意拳五行精义终

五行連環拳譜合璧

五行连环拳谱合璧[①]

深州李存义口述

广宗杜之堂[②]编录

注释

①《五行连环拳谱合璧》：此书为形意“五行拳谱”与“连环拳谱”合集，故曰“合璧”（以下简称杜本）。文字采用铅印，图例采用木版，两者拼接印制，刊行于中华武士会早期。封面署“澄庵自制”，“澄庵”疑为杜之堂；书末钤有“中华武士会版权”方形章。中华武士会成立后，武术教育由师徒传授改为课堂教育。在直隶教育司的支持倡导下，其在天津成立了多家传习所，在京成立了尚武学社，在日本东京成立了中华武士会分会，社会影响巨大。由李存义口述、杜之堂编录、阎子阳绘图，印制了形意拳系列拳械谱，供教学之用。这些教材大多以石印发行，亦有铅印本，对形意拳的传播起到推动作用。1918 年，由王俊臣、李剑秋校订，张桐轩编辑的《武术研究社成绩录》（简称保定本）在保定

军官学校刊行。是书“以岳武穆拳谱为基准，以李忌元口述之拳谱、孙氏形意拳学为参考”，多收录李存义武学。1919年，张桐轩于山西国民师范学校任教，据此印行《形意古拳谱》《拳术讲义》两部（简称山西本）。1920年，王俊臣执教于云南省立第一中学，印行《岳氏武技汇编》（云南开智印刷公司代印）。三地书籍内容基本相同，惟《岳武穆九要论》版本不一。1934年，董秀升出版《岳氏五行十二行精义》（简称董本），从内容上看，源于以上书籍。

② 杜之堂：字显阁（1869—1928年），河北广宗县杜家庄人。自幼聪慧，刻苦读书，闲暇时向父亲杜老龄学习拳术。光绪二十三年（1897年），举拔贡，游学保定，受业莲池学院主讲吴汝纶。因学习成绩优异，尚写一手好字，深得吴汝纶喜爱，被称为高才生。光绪二十八年（1902年），吴汝纶赴日本考察学制，带杜之堂入日本早稻田大学学习法政。宣统元年（1909年）举贡会考，杜之堂被任命为广东某县知县，掌秘书书牍。民国成立后，弃官归乡，后寓居天津，受聘于北洋法政专门学校。杜之堂性古朴，不与俗谐，坎坷终身。寓居天津期间，除读书、讲学、充律师外，每遇星期日便召集同乡青年至寓所，义务讲学，培育后代。杜之堂对历代书法颇有研究，造诣深厚，苦摹柳公权之书，以玄秘塔之字为楷模，举数十年之功，深得其精髓，其行草堪称一绝，独成一派。当时，天津有四大书法家之说，杜之堂位列其中。杜之堂文武双全，武学造诣精深，李存义口述的形意拳械谱多由其编录，如《五行连环拳谱合璧》《三十六剑谱》《八字功谱》《梅花剑谱》《飞跃剑谱》等。

五行连环拳谱合璧目录

五行拳谱

连环拳谱

五行拳谱

第一章　总论

第一节　五行[1]解

五行者，金、木、水、火、土也。内有五脏，外有五官，皆与五行相配。心属火，脾属土，肝属木，肺属金，肾属水，此五行之隐于内者；目通肝，鼻通肺，舌通心，耳通肾，人中通脾，此五行之著于外者。五行有相生之道焉：金生水，水生木，木生火，火生土，土生金；又有相克之义焉：金克木，木克土，土克水，水克火，火克金。五行见于《洪范》[2]，而汉儒借之以解经，后人每讥其于义无取，而生克之理究不为不当也。拳之以是取名，用以坚实其内，整饬[3]其外，取相生之道，以为平时之习练，取相克之义，以为对手之破解云尔，非必沾沾[4]于古说也。

注释

① 五行：五行学说认为宇宙万物都由木火土金水五种基本要素的运行（运动）和循环生克变化所构成，其最早见于《尚书·洪范》。五行拳就是以五行学

说来命名的拳术，其拳法理法，蕴含了中国古代哲学中对事物结构和运动形式认知的高度智慧。

②《洪范》：《尚书》篇名。旧传为箕子向周武王陈述的“天地之大法”。《尚书·洪范》阐发了一种天授大法、天授君权的神权行政思想，从自然材质谈到人类属性，从政务规划谈到天象规律，对形成中国古代占统治地位的哲学理论有深远影响。

③ 整饬：整顿使有条理。饬，音 chì。

④ 沾沾：执着；拘执。

第二节　五拳①解

崩、钻、劈、炮、横，五拳之名称也。崩拳之形似箭，性属木；炮拳之形似炮，性属火；横拳之形似弹，性属土；劈拳之形似斧，性属金；钻拳之形似电，性属水。由相生之说论之，故横拳能生劈拳，劈拳能生钻拳，钻拳能生崩拳，崩拳能生炮拳，炮拳能生横拳也。万物生于土，故横拳能生各拳。由相克之说论之，故劈拳能克崩拳，崩拳能克横拳，横拳能克钻拳，钻拳能克炮拳，炮拳能克劈拳也。

注 释

① 五拳：即五行拳，是形意拳体系中最基本的拳法，也被称为形意母拳。形意拳是我国三大内家拳之一（形意、八卦、太极）。关于形意拳的起源，主要有两种说法：一是岳武穆创拳说。李存义所持观点，可以从弟子阎子阳的手迹中看到：“尝闻吾师云：形意拳出于山西戴龙邦先生家，以上即托岳武穆为五行拳宗。先年在津与杜显阁考据，岳公教兵拳勇，无五行之名，盖系后世托古所

附会，或是相演立此名者。”一是姬际可创拳说。姬际可，清初山西人。姬际可门下分成河南、山西、河北等不同派系，分化成不同的名称传承，包括心意六合拳、心意拳、形意拳等。近代盛行的形意拳，是由河北深州李洛能从山西戴氏心意拳发展而来，并加以定名。

第三节 四梢[①]说

人有血、肉、筋、骨。血肉筋骨之末端曰梢，盖发为血梢，舌为肉梢，爪为筋梢，牙为骨梢。四梢用力，则可变其常态，而令人畏惧焉。

一、血梢

怒气填膺[②]，竖发冲冠，血轮速转，敌胆自寒，毛发虽微，摧敌何难。

二、肉梢

舌卷气降，虽山亦撼，肉坚比铁，精神勇敢，一舌之威，落魄丧胆。

三、筋梢

虎威鹰猛，以爪为锋，手攫[③]足踏，气力兼雄，爪之所到，皆可奏功。

四、骨梢

有勇在骨，切齿则发，敌肉可食，眦裂[④]目突，惟牙之功，令人恍惚[⑤]。

注 释

① 四梢：形意古谱中“四梢要齐”的理论，为形意拳“八要”之一。刘文华《形意拳术抉微》云：“四梢要齐者，舌要顶，齿要扣，手指脚趾要扣，毛孔要紧也。夫舌顶上腭，则津液上注，气血流通。两齿紧扣，则气贯于骨髓。手指脚趾内扣，则气注于筋。毛孔紧，则周身之气聚而坚。”说明四梢有助于催动内力，使身体各系统瞬间爆发出巨大能量。所以，在平时习练时，要注意以神贯意、以意贯气、以气贯力，做到内外合一、高度协调。

② 膺：音 yīng，胸。

③ 攫：音 jué，鸟兽以爪抓取，泛指抓。

④ 皆裂：原文“皆”误，当为“眦”，杜本以铅字加勘误。眦裂，形容愤怒到极点。眦：音 zì，眼角、上下眼睑的接合处，靠近鼻子的称“内眦”，靠近两鬓的称“外眦”。

⑤ 恍惚：难以捉摸。《韩非子·忠孝》：“恍惚，无法之言也。”

第四节 八字诀[1]

四梢之外，又有八字。拳势一站[2]，八字具备，皆所以蓄力养气，使敌我者失所措也。此亦五行拳所特有者。八字之名称：一曰顶；二曰扣；三曰圆；四曰毒；五曰抱；六曰垂；七曰曲；八曰挺。而八字又各有三事，都二十四事。分述之如左。

一、三顶[3]

头上顶，有冲天之雄；手外顶，有推山之功；舌上顶，有吼狮吞象之容。是谓三顶。

注释

① 八字诀：八字诀是形意拳的身形各部、心法手法的基本要求。八字诀的要求达到了，就可以使自己蓄力养气，逐渐锻炼出摄敌之气概，对阵时，令敌人（对手）产生神情恍惚、手足无措之感。

② 跕：音 dié，下坠的样子。在此指身形下蹲，必须同时具备八字诀的要求。

③ 三顶：头顶，具体做法：头要中正，百会上顶，好似顶着一个东西，同时下颏内含，这样颈项自然后凸，同时也就达到了后面“三挺”之中的挺颈的要求了。头顶和挺颈（竖项）是一个有机的整体。作用：头为至高清虚之地，脑在其中。中医认为“脑为髓之海”，做到了头顶和挺颈有利于身体背部的督脉清阳之气上升，以养脑营神，精神抖擞，使人呈现昂扬的斗志和豪气冲天的英雄气概。手顶，具体做法：五指分开，食指上挑，虎口成半圆状，拇指尽力外撑，掌心内含，其余三指微曲，如抓着一个气球状。作用：手外顶能使气血达于手掌以至手指尖。指尖的指甲为四梢之一（筋梢），精气贯于筋梢则使掌指坚硬而锋利，同时亦能使内气宣于外而气贯周身，内劲贯通，有如推山之功。舌顶，具体做法：舌尖抵住软硬腭交界处，亦称柱舌、搭桥。唇齿轻轻闭合，两侧臼齿如咬物。作用：舌抵上腭有助于交通任督二脉，使督脉上升之气经舌下行，沿身前任脉降入丹田。舌为肉梢，舌卷气降，则神智清灵，精神勇敢，肉梢旺盛有助于全身气血贯通，使肌肉充满力量，坚硬似铁，一经交触，令敌“落魄丧胆”。

二、三扣[①]

肩扣，则气力到肘；掌扣，则气力到手；手足指扣，则周身力厚。是谓三扣。

三、三圆[2]

脊背圆，则力催身前；胸圆，则两肱力全；虎口圆，则勇猛外宣。是谓三圆。

四、三毒[3]

心毒，如怒狸攫鼠；眼毒，如觑[4]兔之饥鹰；手毒，如捕羊之饿虎。是谓三毒。

注 释

① 三扣：肩扣，具体做法：肩关节、肩锁关节（锁骨外端与肩胛骨喙突连接处）松开下垂，使膀尖向前，即所谓“熊膀”。作用：两肩前扣则背部气机舒展，前胸空阔，两膀灵活，劲达于肘，同时利于气往下沉入于丹田。掌扣，具体做法：五指分开，掌心内含，虎口撑圆。作用：利于手臂内侧的手三阴经（手太阴肺经、手厥阴心包经、手少阴心经）的气血畅通，气力通达于手。手足指（趾）扣，具体做法：在掌扣的基础上指尖（食指除外）还要有向内之形。足趾扣即两脚平铺，十趾抓地。作用：手指之端是人体肢体末梢，手指内扣能更好地使内气内劲达于指端，从而强化梢节功能，增强指掌在技击中的打击力。足趾扣（抓地）可使下盘稳健，也有助于力达趾端，增强足蹬地的反弹力，所谓“力发于足”即指此而言。

② 三圆：脊背圆，具体做法：通过拔背（大椎穴向上领）和扣肩使脊背和两膀略成圆弧状。作用：拔背可助督脉之气上行，可使两膀之力左右贯通，形成二争力。前胸圆，具体做法：胸前部稍微内含，将胸部放松。作用：胸部是六阴经交会之所，胸背放松可使连于五脏（还有心包）的六条阴经保持交接畅通，使两臂气势圆满。虎口圆，已于前面“三扣”之中谈及，此处不再赘述。

③ 三毒：“三毒”讲的是心法，也就是内在的精神表现于外的状态，也有

称“三敏”者。心毒，指的是精神要沉着机警而且高度集中。眼毒，指的是眼睛敏锐，洞察一切，时刻审视敌人的动向。手毒，指的是动手要稳、准、狠，要有饿虎扑羊的气势和出手必胜的勇气。

④ 觑：音 qù，看，偷看，窥探。

五、三抱[①]

丹田抱气，气不外散；胆量抱身，临变不变；两肱抱肋，出入不乱。是谓三抱。

六、三垂[②]

气垂，则气降丹田；肩垂，则肩[③]催肘前；肘垂，则两肱自圆。是谓三垂。

注释

① 三抱：丹田抱气，丹田是培养贮存真气的地方，俗称“小腹”。“抱”在此是存蓄、怀有的意思，即把气存于丹田。若要气存丹田，须在站桩和练拳的过程中，用意念将气从手心、脚心、头顶心向丹田收引，即古谱所谓“三心要并”。只有如此，方可将身体中散乱之气收纳于丹田，与丹田元气相交融，再时时用意观照丹田，存神用息，念兹在兹，日久则丹田气充足，身体就会越来越强健，大脑及神经系统的反应愈加灵敏。另外，丹田气充足可以推动腰部向后松，为后面提到的“挺腰”奠定物质（气是一种特殊的物质）基础。胆量抱身，指与敌人交手时要有大无畏的精神，要有勇敢果断的胆气，如此才能临危不乱，胸怀坦荡豪迈，充分发挥出自己的技术水平。古谱谓“五行合一处，放胆即成功”，可见胆量在技击中之重要。两肱抱肋，肱指胳膊由肘到肩的部分，俗称“大臂”。此句要求上肢出入时大臂要紧靠两肋，以使周身的力量完整一气而不

至于散乱。古谱谓“两肘不离肋，两手不离心，出洞入洞紧随身”，即此意也。

② 三垂：气垂，指通过意守丹田、沉肩坠肘、含胸拔背等动作要领，使自身真气纳于丹田之中。肩垂，指肩关节向下松沉，以使身体内力充分达于肘部。肘垂，即肘关节向下坠，使上肢略成圆弧状，与后面“三曲”中的“两肱宜曲”要求一致。

③ 肩：原文误作“肩”，据保定本当为“力”。

七、三曲[1]

两肱宜曲，曲则力富；两股宜曲，曲则力凑；手腕宜曲，曲则力厚。是谓三曲。

八、三挺[2]

挺颈，则精气贯顶；挺腰，则力达四梢；挺膝，则气恬[3]神一。是谓三挺。

注 释

① 三曲：两肱宜曲，肱，此处指上肢，要求上肢通过坠肘保持一定的弧度，可使上肢的力量充沛而沉实，此谓“曲则力富”。两股宜曲，股，此处指下肢，要求下肢也要保持一定的弯曲度，以利于脚下的蹬力更好地通过膝关节传递至胯腰直至上肢，此谓“曲则力凑”。手腕宜曲，指手腕下塌，结合五指分开，食指上挑，拇指外撑，虎口成半圆形，久练可使指腕部力量增强，此谓“曲则力厚”。

② 三挺：挺颈，通过头向上顶和下颏回收，改变颈椎向前弯曲的状态，使颈部竖直。其作用已于前面“三顶”之中讲头顶时谈及，此外不再赘述。挺腰，具体做法：通过拔背和垂尾闾，使腰椎及其韧带向后放松，逐步改变腰部的自

然弯曲状态，使腰部伸直乃至后凸。作用：腰为肾之外府，腰部放松可增强肾的功能，使人元气充足。另一方面，腰部放松可使气血流通，从而保证主宰一身活动的职能，古人说“力发于足，主宰于腰，形于四肢”，又说“力由脊发”，挺腰有助于达到此境界。挺膝，指膝关节既要放松下沉，同时髌骨要有微微上提的意念，否则一味下沉，就会形成重滞的局面。挺膝有助于保持下肢轻灵而富有弹力。

③ 恬：音 tián，安静，安然，坦然。

第二章　分论

第一节　开势[①]

五行拳用法最精密，由身而肩、而肱、而手、而指、而股、而足、而舌、而肛门，莫不有说焉。分条列之于左。

一、身[②]

前俯后仰，其势不劲。左侧右攲[③]，皆身之病。正而似斜，斜而似正。

二、肩[④]

头欲上顶，肩须下垂。左肩成坳，右肩自随。身力到手，肩之所为。

三、肱[⑤]

左肱前伸，右肱在肋。似曲不曲，似直不直。曲则不远，直则少力。

四、手[⑥]

右手在胁[⑦]，左手齐心。后者微搨[⑧]，前者力伸。两手皆覆[⑨]，用力宜多[⑩]。

注 释

① 开势：此处“开”是起始的意思，“势”是样式的意思，开势即起式。形意拳的起式为三体势。以下“九歌”是站三体势时身体各部的具体要求，有的条目与“四梢说”和“八字诀”中的内容有重复。

② 身：此处指上半身，包括头和躯干。要求头要上顶，脊柱要竖直。若前俯后仰或左斜右歪，则不能做到挺拔有力，是练拳之大弊病。上体要侧向前方，看正似斜，看斜似正。

③ 欹：音 qī，倾斜，歪向一边。

④ 肩：整体要求向下松沉。左肩（前肩）要向前伸，右肩（后肩）也要下沉后撑，两肩窝向下塌成坳陷状。这样，身体的劲力才能顺畅地通过肩传递至手上。

⑤ 肱：音 gōng，胳膊由肘到肩的部分。要求左臂前伸，右臂紧贴肋旁。两臂肘关节要下垂，不可伸直，又不能太弯曲，要曲中求直，直中带曲。因为过曲则发力不远，过直则使力缺少圆活的弹性。

⑥ 手：手部，要求右手腕部微搨，放在肋下的脐部，左手向前力伸，腕的高度与心口等高。两手掌心朝下，向前伸的力和向后拉的力要均衡。

⑦ 胁：从腋下到肋骨尽处的部位。

⑧ 微搨：搨，音 tà，古字，与“拓”字略有区别，此处指手掌和腕部的下压之力。董本作“劲搨”。

⑨ 覆：指阳拳变掌，翻手变阴。

⑩ 多：原文“多”误，当为“均”，杜本加勘误。

五、指

五指各分，其形似钩。虎口圆开，似刚似柔。力须到指，不可强求。

六、股[①]

左股在前，右股后撑。似直不直，似弓不弓。虽有支绌[②]，每见鸡形[③]。

七、足[④]

左足直出，欹侧皆病。右足势斜，前踵对胫。二尺距离，足指扣定。

八、舌

舌为肉梢，卷则气降。目张发立，丹田愈壮。肌肉如铁，内坚腑脏。

九、肛[⑤]

提起肛门，气贯四梢。两腿缭绕，臀部肉交[⑥]。低则势散，故宜稍高。

开势不惟五拳开始用之，各拳用者甚夥[⑦]，宜熟读九歌，以自练习。（附图 1）

附图1　开势图

注 释

① 股：动作要领为，左腿在前，右腿在后支撑，两腿都要保持一定的弯曲度，好似两张弓。练拳时，重心要左右腿相互转换，好似鸡行走的样子（指重心偏重一条腿）。

② 支绌：支，指射箭时左臂撑弓取直；绌，音 chù，指右臂弯曲扣弦。此处分别引申为直、曲。《三十六剑谱》云："所谓绌者，腿屈成方也；所谓支者，腿伸也。"

③ 鸡形：鸡形步，也称"夹剪步"，形意拳的基本步法，即双腿微曲，保持"似直不直，似弓不弓"的状态，以利于前足踩力、后足蹬力。

④ 足：动作要领为，左脚向前直出，不可左右歪斜，右脚与正前方呈45°站立，前脚跟对着后腿踝关节，这样有助于保持重心的稳定，也便于后足蹬力。至于两脚之间的距离，应该根据每个人的身高不同而定，不可一概而论。两脚脚趾要抓地。

⑤ 肛：要求提肛，肛门外括肌轻轻收缩，使肛门上提。如此能使任督二脉真气畅通，从而保证了丹田之气贯于四肢的末梢。两腿缭绕，指的是通过膝关节内扣和脚后跟外扭，而使下肢内劲呈螺旋上升，通过臀部、胯部、腰部传递至上肢。姿势不要过低，过低则劲散，且换步不灵活，故宜稍高。

⑥ 臀部肉交：指臀部圆抱之意。

⑦ 夥：音 huǒ，多。

第二节　劈拳

一、路线

形意与诸拳不同者，前脚先进，后脚必跟也。拳之用也，宜速进前脚，则便捷灵敏，必能取胜。拳之进也，宜猛跟后脚，则气催身往，必不可当，不惟劈拳然也。[1]劈拳之路线，三步为一组，前脚进为一，后脚进为二，既进之脚复跟为三。如下图（附图2）。

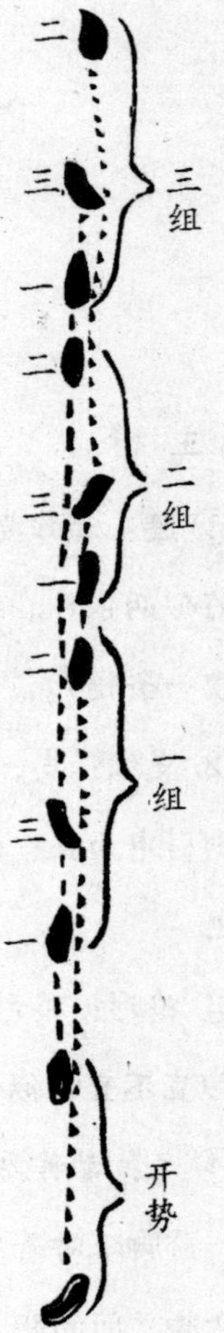

附图2　劈拳路线

二、起势

两手紧握，同变阳拳，拳从口出，小指翻天，高不过肩，力垂左肩，后拳随出，肘置胸前，眼平舌卷，气降丹田。[2]（附图3）

附图3　起势图

三、落势

前脚先开，后脚大进，脚手齐落，推挽两迅，后脚斜跟，前脚仍顺。[③]指开心齐，后手胁近，脚手与鼻，列成直阵。[④]（附图4）

附图4　落势图

四、回身势

右手在前则左转身左手在前则右转身，前脚在后，后脚在前，仍然前脚进为一，后脚进为二，既进之脚复跟为三。如下图（附图5）。

附图5　回身势路线

注 释

① 拳之进也……不惟劈拳然也：形意拳进步时要求后脚蹬劲，从而把人体与大地之间的争力迅速发放到手，极大地增强打击的威力。旧谱所谓“脚踩中门勿落空，消息全凭后足蹬”。

② 两手紧握……气降丹田：“高不过肩”当为“高不过眉”，杜本加勘误。“力垂左肩”当为“力垂两肩”，杜本加勘误。阳拳，拳心朝上为阳拳，反之为阴拳。起势动作要领为，左手下落回抓变阳拳，右手同时握拳翻转向上，左臂外旋，左拳经胸前由下颏处向前上方钻出，拳心斜向上并微向外倾斜，小指向上翻，高度不要超过眼眉，两肩下垂，后拳随出置于前臂肘弯处，后肘置于胸前，目平视前手，舌顶上腭，气沉丹田。

③ 前脚先开……前脚仍顺：开，此处指进步。推挽两迅，指向前推的手和向后拉的手都要迅速。顺，直向前方的意思。

④ 指开心齐……列成直阵：指开心齐，五指分开，手腕与心口等高。后手胁近，后手靠近胁下肋部。脚手与鼻，列成直阵：前手的食指尖与前脚尖、鼻尖在同一个竖直的平面上，所谓“三尖相照”。

第三节　钻拳

一、路线

亦以三步为一组，与劈拳同。（附图 6）

附图 6　钻拳路线

二、起势

左脚前进，左掌翻阳，掌凹肱曲，如弓斯张，右掌握拳，仰置肋旁，眼观前手，锐气发扬，速接落势，乃不能防。（附图 7）[①]

附图 7　起势图

三、落势[②]

左脚已开，右脚再进，脚落拳钻，覆拳宜迅，左脚斜跟，右脚仍顺。前拳取鼻，后拳肘近，脚手与鼻，列成直阵。（附图 8）

附图 8　落势图

四、回身势

右手在前则左转身左手在前则右转身，右[③]手自胁边反出，以扣敌腕，步法与劈拳同。（附图9）

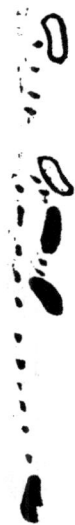

附图9　回身势路线

注 释

① 左脚前进……乃不能防：左脚前进垫步，与正前方呈45°，同时左掌翻，掌心向上，五指分开，掌心微含，肘关节微弯曲如弓状。右掌握成拳，拳心朝上置于肋旁，目视前手。

② 落势：左脚向前垫步，接着进右脚，同时右拳向前上方钻出，击打敌人鼻部，同时左掌往回捋带，变拳心向下，置于右肘的下方，左脚与正前方呈45°斜着跟在后面，右脚直向前方。手尖、脚尖与鼻尖三尖相照。

③ 右：原文误作“右”，据保定本当为“后”。

第四节　崩拳

一、路线

崩拳极简单，不能分起落势，而回身较他拳为繁，故以出势回身分段[①]。其练法，左腿在前，右腿脚跟进，故亦名左腿崩拳。如下图（附图 10）。

附图 10　崩拳路线

二、出势

左脚先开，右脚随进，胫对左踵，腿曲势峻，两掌变拳，后阳前顺，顺者力挽，阳者前奋，两手互易，步法莫紊。[②]（附图 11）

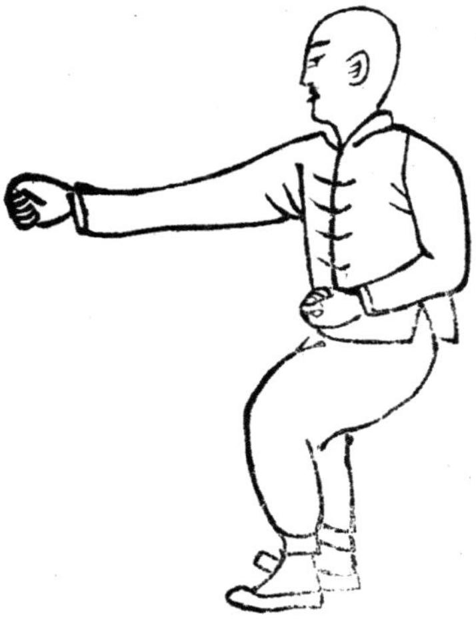

附图 11　出势图

三、回身势

左脚右横，随势转身，右脚横提，右拳阳伸，左拳抑抱，推挽力均，脚手齐落，两掌变阴，后掌在胁，前掌齐心。[③]（附图 12、附图 13）

附图 12　回身势图

附图 13　回身势路线

四、收势

他拳径收④，惟崩拳则于二次回身后打出，则左⑤手在前，右腿斜退一步，脚横落，左腿大退一步斜落；腿退时两手存原势至左脚落时，右手猛撤，左手力出，名曰退步横⑥拳。路线如下（附图 14）。

附图 14　收势路线

注 释

① 段：原为“叚”字误，当作“段”。

② 左脚先开……步法莫紊：左脚向前迈出，右脚蹬劲紧跟，踝关节对着前脚跟。两腿弯曲，进步要疾快。同时两掌攥成拳，后手成阳拳，前拳拳眼向上（立拳）顺直向前，前拳往回撤，后手阳拳向前奋力打出变成立拳，两手一步一

变换位置，步法稳健不能乱。

③ 左脚右横……前掌齐心：“左拳抑抱”当为“左拳仰抱”，杜本加勘误。“脚手齐落”之后应插入“拳变掌”三字，杜本加勘误。回身势动作：左脚往里扣，身体随势转向后方，右脚横着提起，右拳成阳拳向前伸出，左拳成阳拳趁于右肘下方，然后右拳变掌往回拉，同时左拳变掌向前劈出，两掌都变成阴掌，后掌置于肋旁，前掌掌根与心口平。

④ 他拳径收：径，直接的意思。此句的意思是其他拳回身后直接就收势了。

⑤ 左：原文误作“左”，据保定本当为“右”。

⑥ 横：原文误作“横”，据保定本当为“崩”。退步：后脚后退半步，或前脚后退一步，或两脚依次后退，皆为退步。

第五节　炮拳

一、路线

劈钻以三步为一组，崩拳以二步为一组，炮拳则以四步为一组，势皆斜出。如下图（附图 15）。

附图 15　炮拳路线

二、起势

左脚先进，右脚随之，右斜左提，眼观一隅[①]，掌变阳拳，右胁左脐，有如丁字，莫亢莫卑，两肘夹肋，舌卷气垂。（附图 16）

附图 16　起势图

三、落势

右拳顺出，如石之投[②]，左拳里[③]翻，置之眉头，足提者进，与左拳侔，[④]左右互换，无用他求，试详路线，如龙如虬。[⑤]（附图 17）

附图 17　落势图

四、回身势

左手出则左转身右手出则右转身，转时左脚稍动，右脚回至左脚地，而左脚提起，仍斜打，譬如路线南北，转身前打东南者，转身后则打东北，四隅皆依此类推，下为一隅路线图。（附图 18）

附图 18　回身势路线

注释

①眼观一隅：隅，音 yú，角落，靠边的地方；在此指目视左前方。

②如石之投：如抛出的石头，意指炮拳如出膛之弹，瞬间崩出，其性烈猛。

③里：原文“里”误，当为“裹”，杜本加勘误。

④足提者进，与左拳侔：侔，音 móu，等、齐的意思。本句指提起的右脚与打出的左拳同时到达终点。

⑤试详路线，如龙如虬：虬，音 qiú，“虬”字的异体字，传说中有角的小龙。以龙、虬形容弯曲、曲折的样子。本句指炮拳的行进路线像龙蛇的行进一样弯弯曲曲的。

第六节　横拳

一、路线

横拳亦用斜势，其步数类劈钻而非直线，其弯曲似炮拳，而步数减。如下图（附图 19）。

二、起势

前脚提退，后脚孤立，两手成拳，前仰后抑[①]，仰者眉齐，抑者肘匿，[②]身正眼平，卷舌屏息，停峙虽暂，宜厚其力。（附图 20）

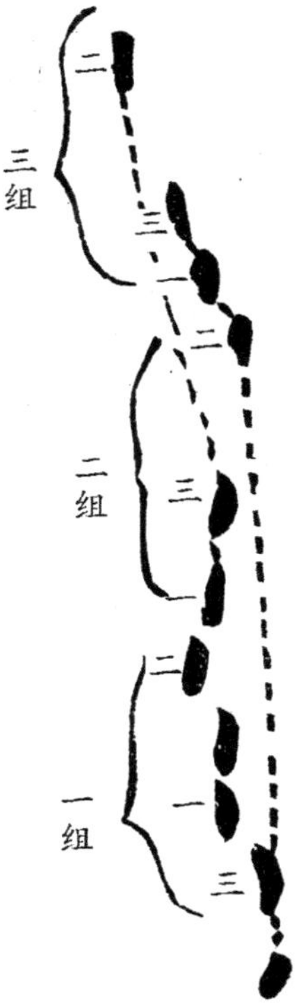

附图 19　横拳路线

附图20　起势图

三、落势

脚进而落，已成剪形，后拳外钻，前拳退行，钻翻小指，退与肘平，下拳横出，故以横名，手足变换，反用则成。（附图21）

附图21　落势图

四、回身式

左手出则右[3]转身右手出则左[4]转身，转时左脚稍动，右脚进，左脚进，拳钻右脚跟。如下图（附图22）。

附图22 回身式路线

注释

① 前仰后抑：指前手成阳拳，后手成阴拳向下压。

② 仰者眉齐，抑者肘匿：前面的阳拳与眉等高，后边的阴拳藏于前臂肘下。

③ 右：原文“右”误，当为“左”，杜本加勘误。

④ 左：原文“左”误，当为“右”，杜本加勘误。

第三章　结论

第一节　练习

一、专练

习拳术者，对己者十八，对人者十二[①]耳。故曰：壮身者其常，胜敌者其暂也。专言壮身，无论何拳，均可习练。至于胜敌，则五行拳专擅其长焉；且胜敌之道贵精不贵多，胜一人用此势，胜人人亦可用此势。务博而荒，求繁而乱。身体无切确之磨练，应敌无纯熟之技艺，此两失也。人情之所乐观而致意者，在浓不在澹[②]，在博不在约，在急不在缓。孤干无枝之乔松，固不若鲜花翠柳之快意，迨[③]经酷霜冒严雪，熟[④]为后凋？可断言矣。五行拳皆单势，平时练习之正则[⑤]也。

二、久练

深无止境、广无涯涘[⑥]者，惟拳术为然。得其浅者一人敌，得其最深者何尝不可万人敌也。习拳固宜虚心，而浅尝辄止，忽作忽辍，亦不可望其深造。且五行拳尤不易为，数月已自可观，十年亦非绝艺。浅者[7]视之，容有后不如前，久不如暂者。盖熟化之至，内力充，外力缩也，非多历年所[8]，熟复[9]而无间断，未足以臻[10]此极境；臻极境者，一由于虚心，一由于恒性也。谓论者恒谓[11]拳术多私，每有请而不告、告而不尽者，夫岂其然！其心易满者，或轻试而招祸，或好争而欺人，自亡之媒[12]也。其性无常者，一知半解，自视已足，朝兴暮止，自谓己成，至于试之无效，不曰我师欺我，则曰所习己误。是不惟传授失人，而拳术亦为一世所轻矣，岂私也哉！

注释

① 对己者十八，对人者十二：习练拳术者，以锻炼身体、修身养性为主要目的，占十分之八；以对敌应用为次要目的，占十分之二。

② 澹：音dàn，通“淡”。

③ 迨：音dài，等到。

④ 熟：原文“熟”误，当为“孰”，杜本加勘误。孰，哪个。

⑤ 正则：正规，常规。

⑥ 涯涘：边际与界限，引申为尽头。涯，音yá；涘，音sì。

⑦ 浅者：指不懂拳术的外行人。

⑧ 多历年所：经历的年数很多。历，经历。年所，年数。

⑨ 熟复：反复熟习。

⑩ 臻：音zhēn，达到。

⑪ 谓论者恒谓：当为“论者恒谓”，衍一“谓”字，杜本加勘误。恒谓：经常说。恒，经常。谓，说。

⑫ 自亡之媒：指行为不慎，成为自取灭亡的原因。媒，使双方发生关系的

人或事物，引申为事物发生的诱因。

第二节　变化

拳虽有五，而实有神妙之功用。自其变化言之，则劈拳有六，钻炮横各有七，崩拳有九，共三十六套，以下分述之。凡前所有者，皆列每段之首。

一、劈拳

正步劈拳　进步[①]劈拳　退步劈拳　摇身[②]劈拳　转身劈拳　捋手[③]劈拳

二、钻拳

顺步[④]钻拳　进步钻拳　退步钻拳　摇身钻拳　转身钻拳　拗步[⑤]钻拳　捋手钻拳

三、崩拳

左腿崩拳　进步崩拳　退步崩拳　摇身崩拳　转身崩拳　十字崩拳[⑥]　顺势崩拳　右腿崩拳　捋手崩拳

四、炮拳

拗步炮拳　进步炮拳　退步炮拳　摇身炮拳　转身炮拳　顺步炮拳　捋手炮拳

五、横拳

拗步横拳　进步横拳　退步横拳　摇身横拳　转身横拳　顺步横拳　捋手横拳

注 释

① 进步：前脚前进半步，或后脚前进一步，或两脚依次前进，称进步，也称上步。

② 摇身：利用身法、身形的左右闪躲、上下起伏，达到欺进的目的，进攻敌人，即古谱所谓“如遇人多，三摇两旋”之法。

③ 捋手：左手捋带对方肘及胳膊，含有捋、裹、压、扣、挠之劲意，欲将其撇出摔倒，右手打击，为左捋手，反之为右捋手。

④ 顺步：定式后，同侧手脚在前，称顺步姿势。要求，前脚跨，后脚蹬。

⑤ 拗步：定式后，异侧手脚在前，称拗步姿势。左脚右臂在前，为左拗步；右脚左臂在前，为右拗步。要求，前脚掌外摆，后脚掌内扣。

⑥ 十字崩拳：也称拗步崩拳。

五行拳谱终

连环拳谱

第一章　总论

第一节　名称

变化五行拳合为一套，倏[1]进倏退，势皆循环，光怪陆离[2]，势皆连贯，故谓之连环拳。以其进退无常也，故又谓之进退连环拳。今从简称。

第二节　练习

连环拳以五行拳为母，五拳未能习熟，不必学连环拳。此拳共有十势，又进退各半，虽往复练之，范围亦小。是以有引长之法，练习于宽地，亦不见为短也。引长之法，前节不转身，至崩拳仍接二势，则往复足四十势矣。

第三节　应用

拳法以应用为主，连环拳可以连环用之，握之则为拳，伸之则为掌，故可变为连环掌，此徒手之应用也。刀枪棍剑无不可用，有刃者则砍，有锋者则刺，无锋刃者则打，不过手势之变化耳。故器械无论双单长短大小，皆可包括无遗。苟明变化之功用，何往而不应用哉。

第四节　路线（附图23）

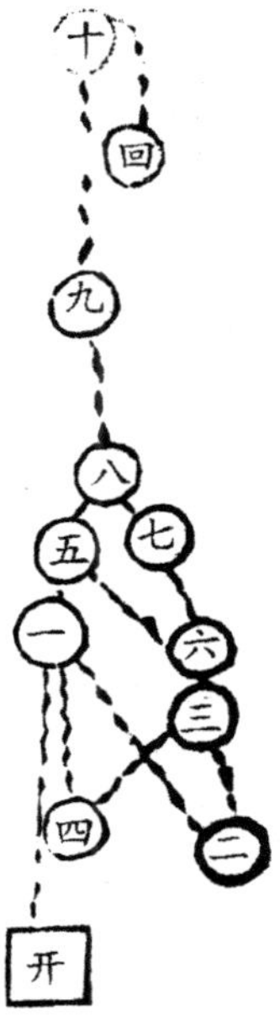

附图23　连环拳路线

注释

① 倏：音 shū，极快地，忽然。

② 光怪陆离：形容奇形怪状，五颜六色。此处指拳法变换，奥妙无穷。

第二章　分论

第一节　开势

连环拳仍用五行拳之开势。（附图 24）

附图 24　开势图

第二节　进步崩拳

由开势两手变拳，进左腿，左[1]拳阴[2]出顺落齐心，左拳顺回阳落齐脐；同时右腿随进，胫对左踵，提肛，两腿稍绌。（附图 25）

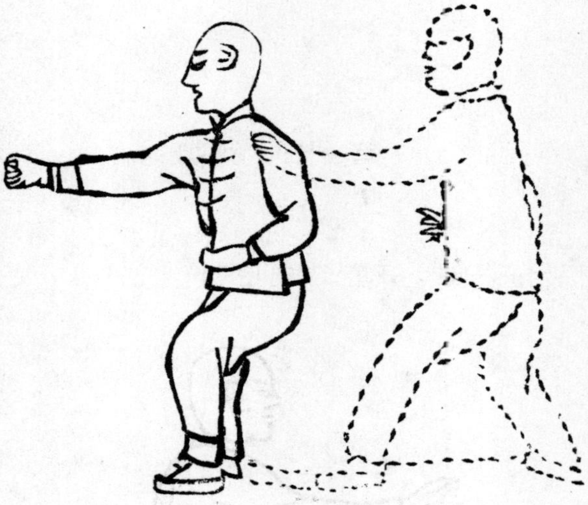

附图 25　进步崩拳图

第三节　退步横拳

右腿斜退一步，脚横落；左腿大退一步，脚斜落。右腿退时两手存原势，至左脚落时，右手猛撤齐脐，左手力出齐心，两腿剪形，故又名剪子步[3]。（附图 26）

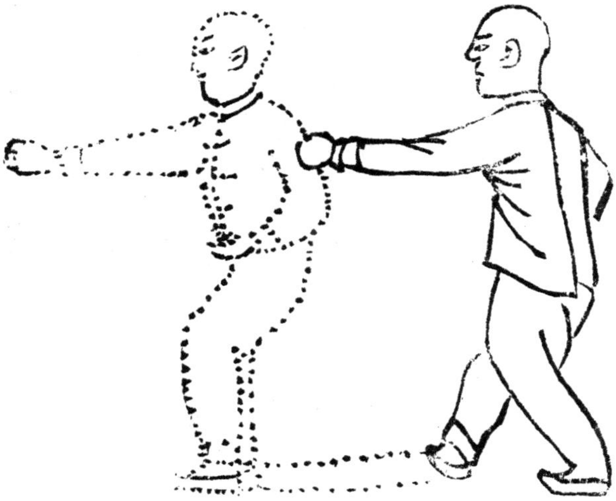

附图26　退步横拳图

第四节　顺步崩拳

左[④]腿进绌，右拳阳出顺落齐心，左拳顺回阳落齐脐，左脚稍跟。（附图27）

附图27　顺步崩拳图

注 释

① 左：原文误作“左”，据保定本当为“右”。

② 阴：原文误作“阴”，据保定本当为“阳”。

③ 剪子步：也称剪子股式、龙形步。左脚外摆90°在前，右脚在后，脚跟离地二三分下踩，脚尖向前，对左脚脚跟，右膝藏于左膝窝下，重心在两腿中间，此为左剪子股式。反之为右剪子股式。

④ 左：原文误作“左”，据保定本当为“右”。

第五节　白鹅亮翅

左腿退，两拳拢至裆成十字，即以原势上起至额，两拳又各绕半圆至裆，左掌右拳力打，右腿于上起时撤与左腿并，两腿皆稍绌。（附图28）

附图28　白鹅亮翅图

第六节　进步炮拳

右腿进绌，左拳出齐心，右拳翻上至额，是谓拗步炮拳。（附图29）

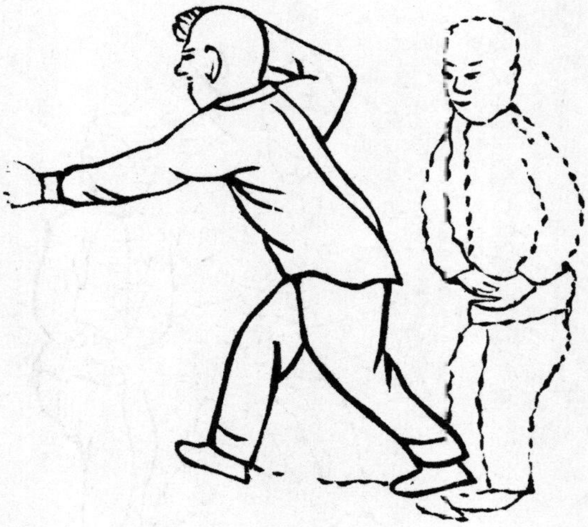

附图29　进步炮拳图

第七节　退步钻拳

右腿大退，右掌下落，左拳由胸部钻出，左腿退与右脚并，两腿稍绌，两阳掌置脐部，左横右顶。(附图 30)

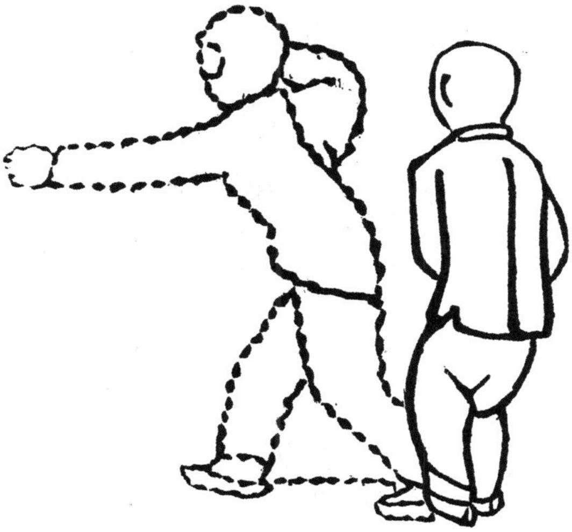

附图 30　退步钻拳图

第八节　进步拨掌[①]

左腿进，左掌外拨，右腿右拳皆存原势，眼视掌，左腿绌右腿支。（附图31）

附图31　进步拨掌图

注释

① 拨掌：掌心向上，掌经胸前向异侧前方伸出，再转向同侧前方拨转。在拨转的同时，前臂内旋，掌心转向下；手臂微曲，顺肩垂肘，力达外沿。是谓拨掌。

第九节　进步钻拳

左腿稍进仍绌，左掌变拳，右拳出，小指上翻，左拳回撤阳置肋，右腿稍跟。（附图32）

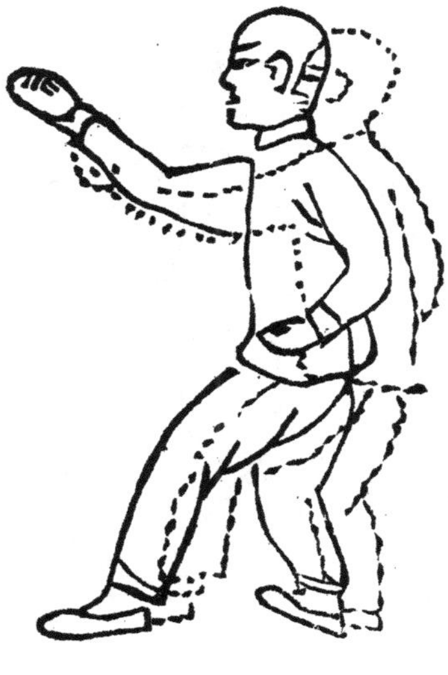

附图32　进步钻拳图

第十节　拗步劈拳

左腿进，两拳阳置胸前，左上右下，右脚横落，左掌覆推，右掌覆挽，眼视前掌，俗称狸猫上树。(附图 33)

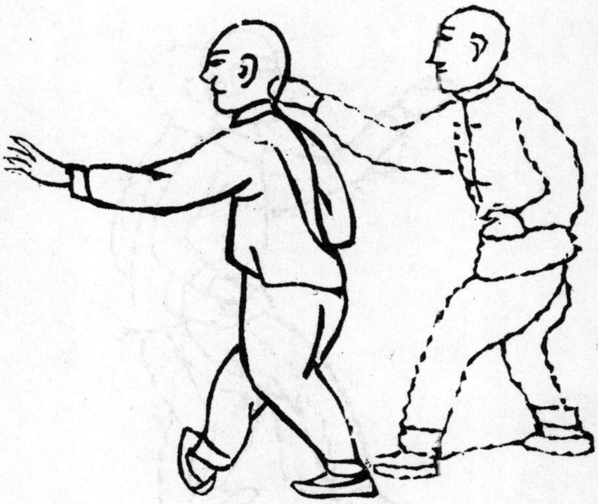

附图 33　拗步劈拳图

第十一节　进步崩拳

两手变拳，右脚顺进，左腿大进，右拳阴出，顺落齐心，左掌顺回，阳落齐脐，右腿随进，胫对左踵，提肛，两腿稍绌。（附图 34）

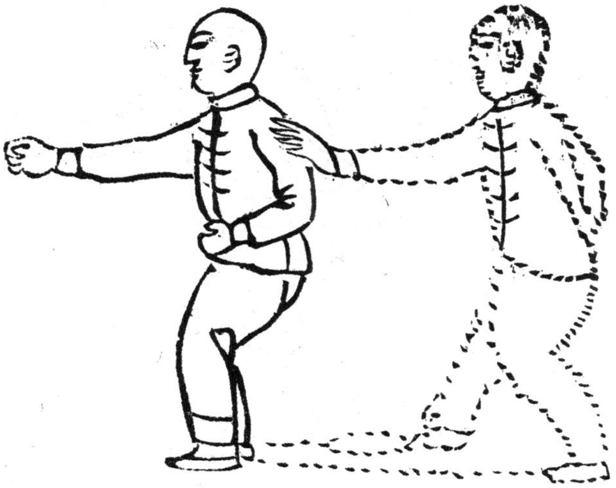

附图 34　进步崩拳图

第十二节　回身势

左脚右横，随势转身，右脚横提，右拳阳伸，左拳抑抱，推挽力均，脚手齐落，两掌变阴，后掌在肋，前掌齐心。（附图 35）

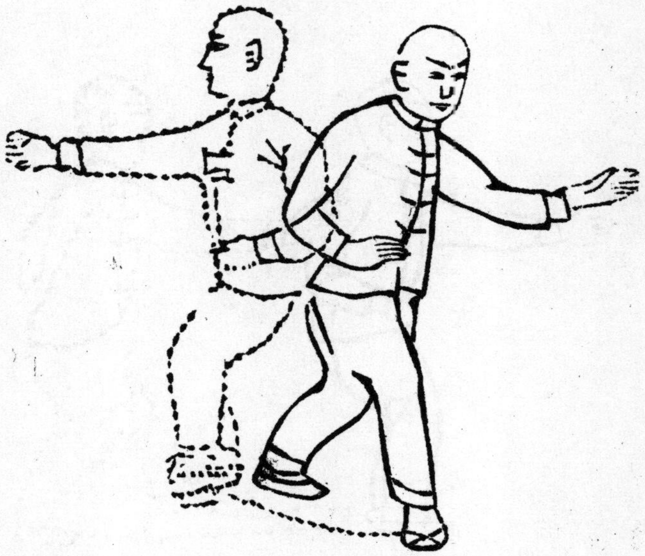

附图 35　回身势图

连环拳谱终

新书预告

武学名家典籍丛书

孙禄堂武学集注

（形意拳学　八卦拳学　太极拳学　八卦剑学　拳意述真）

孙禄堂　著　　孙婉容　校注　　定价：288 元

杨澄甫武学辑注

（太极拳使用法　太极拳体用全书）

杨澄甫　著　　邵奇青　校注　　定价：178 元

陈微明武学辑注

（太极拳术　太极剑　太极答问）

陈微明　著　　二水居士　校注　　定价：218 元

（第一辑）

李存义武学辑注

（岳氏意拳五行精义　岳氏意拳十二形精义　三十六剑谱）

李存义　著　　阎伯群　李洪钟　校注　　定价：268 元

张占魁形意武术教科书

张占魁　著　　吴占良　王银辉　校注

薛颠武学辑注

（形意拳术讲义上编　形意拳术讲义下编　象形拳法真诠　灵空禅师点穴秘诀）

薛　颠　著　　王银辉　校注　　　　　　　　　　　　定价：358 元

（第二辑）

陈鑫陈氏太极拳图说（配光盘）

陈　鑫　著　　陈东山　陈晓龙　陈向武　校注　　定价：358 元

董英杰太极拳释义

董英杰　著　　杨志英　校注

许禹生武学辑注

（太极拳势图解　陈氏太极拳第五路　少林十二式）

许禹生　著　　唐才良　校注

（第三辑）

李剑秋形意拳术

李剑秋　著　　王银辉　校注

刘殿琛形意拳术抉微

刘殿琛　著　　王银辉　校注

靳云亭武学辑注

（形意拳图说　形意拳谱五纲七言论）

靳云亭　著　　王银辉　校注

（第四辑）

武学古籍新注丛书

王宗岳太极拳论

李亦畬　著　　二水居士　校注　　定价：50 元

太极功源流支派论

宋书铭　著　　二水居士　校注　　定价：68 元

太极法说

二水居士　校注　　定价：65 元

（第一辑）

手战之道

赵　晔　沈一贯　唐顺之　何良臣　戚继光　黄百家　黄宗羲　著

王小兵　校注　　定价：65 元

（第二辑）

百家功夫丛书

张策传杨班侯太极拳108式　（**配光盘**）

张　喆　著　　韩宝顺　整理　　定价：48 元

河南心意六合拳　（**配光盘**）

李洳波　李建鹏　著　　定价：79 元

（第一辑）

形意八卦拳

贾保寿　著　　武大伟　整理　　定价：52 元

张鸿庆传形意拳练用法释秘　　邵义会　著

王映海传戴氏心意拳精要（配光盘）

王映海　口述　　王喜成　主编　　　　　　　　定价：198元

戴氏心意拳功理秘技　　　　　　　　王　毅　编著

（第二辑）

传统吴氏太极拳入门诀要　　　　　　张全亮　著

华岳心意六合八法拳　　　　　　　　张长信　著

程有龙传震卦八卦掌　　　　　　　　奎恩凤　著

杨振基传太极拳内功心法　　　　　　胡贯涛　著

刘晚苍内家功夫及手抄老谱　　　　　刘晚苍　刘光鼎　刘培俊　著

（第三辑）

民间武学藏本丛书

守洞尘技　　　　　　　　　　　　　崔虎刚　校注

通臂拳　　　　　　　　　　　　　　崔虎刚　校注

心一拳术　　　　　　　　　　　　　李泰慧　著　　崔虎刚　校注

六合拳谱　　　　　　　　　　　　　崔虎刚　校注

少林论郭氏八翻拳　　　　　　　　　崔虎刚　校注

（第一辑）

心意拳术学　　　　　　　　　　　　戴　魁　著　　崔虎刚　校注

武功正宗　　　　　　　　　　　　　买壮图　著　　崔虎刚　校注

太极纲目　　　　　　　　　　　　　崔虎刚　校注

神拳拳谱　　崔虎刚　校注

精气神拳书·王堡枪　　崔虎刚　校注

（第二辑）

单打粗论　　崔虎刚　校注

母子拳　　崔虎刚　校注

拳谱志三　　崔虎刚　校注

拳法总论　　崔虎刚　校注

少林拳法总论　　崔虎刚　校注

（第三辑）

少林秘诀　　崔虎刚　校注

绘像罗汉短打变式　　崔虎刚　校注

绘像罗汉短打通式　　崔虎刚　校注

计艺外丹　　崔虎刚　校注

香木神通　　崔虎刚　校注

（第四辑）

老谱辨析点评丛书

再读浑元剑经　　马国兴　著

再读王宗岳太极拳论　　马国兴　著

（第一辑）

图书在版编目（CIP）数据

李存义武学辑注. 岳氏意拳五行精义/李存义著；阎伯群，李洪钟校注. —北京：北京科学技术出版社，2017. 5

（武学名家典籍丛书）

ISBN 978 - 7 - 5304 - 8448 - 7

Ⅰ. ①李… Ⅱ. ①李… ②阎… ③李… Ⅲ. ①武术 - 研究 - 中国 ②形意拳 - 研究 - 中国 Ⅳ. ①G852

中国版本图书馆 CIP 数据核字（2016）第 131983 号

李存义武学辑注——岳氏意拳五行精义

作　　者：李存义
校 注 者：阎伯群　李洪钟
策　　划：王跃平　常学刚
责任编辑：苑博洋　刘瑞敏
责任校对：贾　荣
责任印制：张　良
封面设计：张永文
封面制作：木　易
版式设计：王跃平
出 版 人：曾庆宇
出版发行：北京科学技术出版社
社　　址：北京西直门南大街 16 号
邮政编码：100035
电话传真：0086 - 10 - 66135495（总编室）
　　　　　0086 - 10 - 66113227（发行部）　0086 - 10 - 66161952（发行部传真）
电子信箱：bjkj@ bjkjpress. com
网　　址：www. bkydw. cn
经　　销：新华书店
印　　刷：保定市中画美凯印刷有限公司
开　　本：787mm × 1092mm　1/16
字　　数：140 千字
印　　张：20
版　　次：2017 年 5 月第 1 版
印　　次：2017 年 5 月第 1 次印刷
ISBN 978 - 7 - 5304 - 8448 - 7/G · 2475

定　　价：92. 00 元